Juan Díaz

El perdón

Gustavo Alejandro Ferreyra

El perdón

Ediciones Simurg
Buenos Aires
1997

Cuadernos de Extramuros

COLECCIÓN DIRIGIDA POR SYLVIA SAÍTTA

A mis padres.
A Luis Pons.

G.A.F.

TAPA: *Interior*, de Francis Gruber (1948)

ISBN: 987-9243-02-1

© **Ediciones Simurg**
Jerónimo Salguero 33 6º D
1177 Buenos Aires - Argentina

Queda hecho el depósito que establece la Ley 11.723

LIBRO DE EDICIÓN ARGENTINA

En las afueras de la ciudad

El auto blanco, bastante nuevo, avanzaba despaciosamente por una calle de los suburbios. Su andar cansino por una calle ancha, bien asfaltada, carente en absoluto de tránsito, habría llamado la atención si fuera el caso que algún transeúnte se hubiera arriesgado a caminar bajo un sol picante y que, si bien no caía a plomo, parecía lastimar la piel. A lo largo de varias cuadras el auto se deslizó como si no quisiera llegar a ningún lado, y por fin se detuvo frente a un portón que cerraba el paso en la apertura de un largo muro de ladrillos a la vista. El conductor permaneció aún unos minutos dentro del auto, mirando el portón con una expresión ausente y de duda. Tenía una mano como colgada de la parte superior del volante. Finalmente se bajó del auto con pesada resignación y se dirigió a una de las columnas que flanqueaban el portón. Tocó el portero eléctrico, y al ser atendido musitó su nombre tan débilmente que tuvo que repetirlo una vez, y otra vez, elevando la voz, aunque no mucho, en cada ocasión. Al ratito le franquearon el paso y, subiendo al auto, entró con él al predio tras el muro.

7

El doctor Guillermo Berdiñas, abogado, estacionó el auto delante de un edificio blanco de dimensiones generosas y construcción reciente, rodeado por un cuidado parque de árboles jóvenes que relucían al sol. Esta vez el doctor Berdiñas se apresuró a cubrir la distancia que lo separaba del edificio. Ya adentro se dirigió al mostrador donde registraban a las visitas, sintiendo en su interior el amargor de encontrarse en un lugar que lo asustaba. Allí se encontró con una novedad que lo desubicó en alguna medida. Su mujer había estado particularmente irascible y le habían inyectado ciertos medicamentos que le impedían salir al parque —lugar en el que la hallaba él todos los domingos—, por lo que la podría ver en su habitación.

Pese a que hacía ocho meses que su esposa estaba internada allí, aún desconocía gran parte de las reglamentaciones de la institución e ignoraba si se estaba haciendo con él una excepción. Pero, si así era, ¿en atención a qué?; la pregunta flotó en su pensamiento sin asentarse como para que se viese impelido a buscar una respuesta. Sonrió de modo vago a la empleada y, luego de firmar en donde le indicaron, se dirigió hacia el coqueto mostrador que cerraba el paso a las habitaciones. La mujer que cuidaba el pasaje lo miró por un instante con ojos acerados, negros y macizos, podría decirse de mal grado, aunque no por esto el doctor Berdiñas juzgó que la mujer se salía en mucho de los gestos que le eran rutinarios. Una enfermera que también revistaba en el puesto se dispuso a acompañarlo. Mientras caminaba hacia la habitación de su esposa, sin embargo, la zozobra lo fue ganando, y en parte vinculó la actitud de la mujer del mostrador con lo que iría a encontrar en la habitación a la que se dirigía. Empezaba a temer del estado de su esposa, pero no por ella sino por él. Consideró que tal vez no había entendido correctamente lo de la medicación, si es que se le había explicado algo, y lo aguardaba un espectáculo tenebroso en algún sentido. Por un momento se dio a buscar una excusa, que expondría a la enfermera que lo acompañaba, para marcharse inmediatamente, empero todo lo que se le ocurrió era ridículo, y hasta su pretensión de huir, en el fondo, le parecía inmoral. ¿Y si le preguntaba a la enfermera en qué estado estaba su mujer, como para saber a qué atenerse y en todo caso no mirar? Habían llegado y la enfermera, sin demoras, demostrando que para ella era una acción sin importancia, abrió la puerta y se corrió para abrirle paso. Berdiñas dudó por un segundo, no tanto porque todavía conservara alguna esperanza de escapar de la responsabilidad que sin más remedio asumía, sino porque tuvo la intención de dirigirle a la enfermera una suerte de ingeniosa amabilidad; no para quedar bien con ella, cosa que lo tenía sin cuidado, su intención más bien era distraer la mente y llevar a sus labios una sonrisa en el momento de entrar, como si la mueca que instalase en su rostro fuera un conjuro.

Al ingresar evitó mirar a su mujer, que estaba echada en la cama; recién cuando escuchó que la enfermera cerraba la puerta tras de sí (Berdiñas se cuidó de asegurarse que no pasaba la llave), echó sobre su esposa un vistazo corto, para cerciorarse de que no estuviera por saltar encima suyo, y se quedó parado, sin saber en dónde meter el cuerpo ni la mente. La mujer, de espaldas a él y tapada con una sábana, parecía dormir. Había en la habitación un olor dulzón, bajo el cual yacía uno más rancio, que es propio de las instituciones curativas, pero que en esta ocasión apenas si podía distinguirse. El silencio, quizá a causa de la ubicación de la pieza, era profundo, al menos no se percibía ningún ruido que tuviera origen en las actividades que se desarrollaban en la clínica; del jar-

9

dín —desierto en esa zona— llegaba muy quedamente a través de la ventana cerrada el cantar de un grillo o bicho parecido, cuyo lejano chirriar no hacía sino llamar la atención sobre el silencio que reinaba. Berdiñas fue abordado finalmente por la curiosidad de ver el rostro de su esposa, y, aunque se le dificultó salir de la inmovilidad casi defensiva que había adquirido, rodeó la cama. Temía encontrarse con una expresión bestialmente deformada, con algo en absoluto diferente a lo que había sido ella hasta no hacía tanto tiempo.

La locura de su mujer había sido, por lo menos en lo que a él concernía, repentina y serena; una mañana empezó a desvariar y a encerrarse en prolongadísimos silencios y ya no regresó de ese estado. En oportunidades él descreía de que pudiera haber sido así y se inclinaba a pensar que probablemente había estado ciego ante los síntomas o signos que por fuerza habían existido con anterioridad, pero por mucho que ejercitase la memoria buscándolos no encontraba más que rasgos, peculiaridades, que ubicada sin más remedio dentro del patrón indudable de la cordura. Los mismos doctores le habían dicho, en cuanto a lo abrupto del caso, que no era imposible, bien que él desconfiaba de la medicina. La internación fue inmediata, según lo prescripto por los psiquiatras, por lo que su vida, pese a tener ahora una esposa demente, era por completo ajena a la insania, y la idea de ésta, imbuida su imaginación por los fantasmas que vagan en las conversaciones ociosas, le producía un espanto visceral. Las visitas de los domingos no le habían revelado ninguno de los misterios que se encerraban en la mente de su mujer y, para su dolor, se habían convertido, siquiera en parte, en un pesaroso trámite semanal que no podía evitar y cuyo sentido le era inasible. Se sentaban en un banco a la sombra o junto a una mesa del parque, y las horas se iban, casi siempre en silencio. Él miraba los árboles, los setos con flores, eventualmente la miraba a ella, que sentada un poco tiesa con las manos en el regazo, su menuda figura en una actitud expectante, parecía una niña aguardando una noticia de la que no duda que le será dada y de la que ansía solamente la confirmación. Por lo demás, esta actitud no variaba nunca en demasía y su misma persistencia conmovedora le resultaba a Berdiñas casi insoportable de ver. A veces él se encontraba contándole alguna minucia, que sólo ocasionalmente provocaba en ella alguna reacción: una débil sonrisa, una mueca incierta, gestos que por lo general no se correspondían con el tenor de lo que él contaba y que no podía tener sino por casuales, nacidos en los vericuetos de un pensamiento que era imposible de conocer, siquiera de imaginar, y cuyo aparente vacío —o desquicio— lo desesperaba. Muy de vez en cuando ella hablaba, por lo común una frase armada con jirones de recuerdos, citando gente o hechos sin importancia de su pasado, y que dicha con la voz que amaba —intacta hasta en la inflexión— le provocaba un mortificado asombro, y hasta una loca e instantánea esperanza que luego se diluía en la evidencia de que el hecho no constituía avance alguno. Supo suceder en ciertas ocasiones que, al hablar, las facciones de ella adquirieron una vida inteligente y parecieron inundadas por la razón, retornando por segundos a lo que fueron en el pasado; sin embargo, a poco que cayó en la cuenta de que esos efímeros brotes de presencia eran como fortuitas pulsaciones eléctricas, se apenaba al verlos y acabó por desear que no se produjesen más.

Se paró a un costado de la cama y, por debajo de un brazo que la mujer estiraba hacia la cabecera, pudo verle el rostro. Tenía la boca un poco abierta, pero no había nada en él que fuera repulsivo, por el contrario, entrega-

11

das a una desmayada serenidad, las facciones se veían más pequeñas y bellas. Era la primera vez que la veía dormir desde que estaba en esta condición y sintió una suerte de vértigo. Se retiró hacia la ventana, aunque un poco a disgusto por privarse del supuesto placer que debía sentir al observarla en un estado que casi le permitía fantasear con que nada había sucedido. Amagó volver la cabeza un par de veces mas se arrepintió y permaneció mirando el jardín. El parque era, con mucho, lo más cuidado de la clínica psiquiátrica. Los setos estaban cortados con precisión; abundaban las flores, combinadas en macizos según los colores; la disposición de los árboles lejos estaba de ser azarosa: a medida que se distanciaban del edificio se iban haciendo más tupidos y numerosos, hasta terminar doscientos metros más allá, cerca del muro en que terminaba el predio, en un modesto bosquecillo.

Berdiñas se detuvo a mirar el enrejado negro y coqueto de la ventana, en el que los listones de hierro formaban rombos. Estos le recordaron los enrejados en casa de una tía suya; a través de uno de ellos, cuando chico, había pasado la cabeza y luego, para su perplejidad, no podía sacarla; hasta que, no sin un raspón por la desesperación que lo había embargado, se dio maña para quitarla.

Una gata peluda verde caminaba por el enrejado. Berdiñas la veía avanzar mientras crecía en él el miedo de que a sus espaldas la mujer se levantase y en el paroxismo de su locura se arrojase sobre él, como una bestia descerebrada a la que se le hubiera invadido su guarida, incluso buscando con los dientes su garganta, la yugular. Bien que el temor creciente lo impelía a voltear la cabeza para asegurarse de que su mujer dormía, se resistía a hacerlo y prefería atestiguar cómo el miedo trepaba en su interior. Y si bien aguzaba el oído para escuchar a sus espaldas y no oía ningún ruido, imaginaba que su

12

mujer harto sigilosamente se estaba levantando, dispuesta a avanzar hacia él; casi tenía la certeza de que el ataque sobrevendría en instantes, y aun llegó a preguntarse por qué se demoraba. De repente, acicateado ya por el pavor, giró la cabeza y pudo comprobar que dormía y ni siquiera había cambiado de posición. ¿O simulaba? ¿No habría acaso en la locura, por lo menos en la de su mujer, una recóndita astucia maligna? Se acercó a la cama creyendo que por mucho que la quisiera ocultar él encontraría la verdad en la expresión del rostro, en el rictus de la boca. Y la observó, inclinándose algo sobre ella. Buscaba un detalle revelador que no encontró, al contrario, las facciones mantenían la tenue belleza que antes había advertido. Se la quedó mirando, olvidando poco a poco su intención primigenia, poco menos que enternecido, no muy alejado de una suerte de amorosa fascinación. El cuerpo menudo, curvilíneo, daba formas a la sábana. Hasta que no soportó más mirar lo que había perdido y desvió la vista, buscando con ella una silla, con la pretensión, aunque vaga, de estarse sentado hasta el momento de irse, apartando su ánimo de la situación todo lo posible. Sin embargo, a pesar de que descubrió dos sillas en la habitación, abandonó la idea. Caminó dubitativamente en derredor de la cama, impregnado de los resabios que dejó en él la observación de la mujer. Echó luego un vistazo sobre la puerta, pensando que golpearían antes de entrar, y, con una leve satisfacción, se recostó junto a su esposa.

Puso una mano bajo la nuca y se estuvo boca arriba, atento al principio a la puerta, ya que le sería penoso explicar qué intentaba hacer ahí en la cama con su esposa loca. En una oportunidad escuchó que se acercaban pasos por el corredor y se levantó con presteza, tomando una actitud de disimulo, como si se estuviera dirigiendo hacia una de las sillas. Mas los pasos se alejaron y retor-

13

nó a la cama. Pese al susto había ganado en confianza y se estiró sobre la sábana con mayor soltura. Inclusive no tardó en quitarse los zapatos. La habitación permanecía fresca y el colchón era cómodo en sumo grado. Se distendió y hasta sintió algo no muy alejado del bienestar. Dejó un brazo bien próximo al cuerpo de su mujer. Al rato se halló mirando las formas de su esposa, esculpidas en la sábana. Debía reconocer que en estos meses, desde que su esposa había enloquecido, la deseaba más que nunca; la imaginaba, aun demente como estaba, desnuda o con ropa interior provocativa, en poses con las que ella se ofrecía abierta y desenfadadamente y que lo excitaban casi hasta la exasperación. Claro que este deseo sólo emergía cuando estaba solo en su casa, y en general concluía con una masturbación, a la que se entregaba con el mismo fervor que cuando adolescente. Acababa incitado por el vivo recuerdo de alguna parte del cuerpo de su esposa (las tetas, hermosas, que se bamboleaban no lejos de su boca era, por ejemplo, uno de los más frecuentes), envuelto en la idea de que ella gozaba tanto como antes y aun que la locura la hacía más desinhibida, casi salvaje en su deseo de sexo. Luego de acabar se apoderaba de él, y la sentía en el cuerpo, en el vientre y en los brazos sobre todo, la creencia de que a fuerza de cogérsela ella sanaría, como si las cuerdas del placer que él tocara pudiesen despertar su conciencia, dando inicio con el ardor de ese recuerdo al fin de todos esos olvidos increíbles en los cuales la mente se le deshilvanaba. En su imaginación, la veía a ella entregada a un orgasmo en el que la animalidad absorta de su demencia dejaba paso, como si se diera un milagro, de un instante al otro, a la Mónica de antes.

Y ahora estaba allí, junto a su mujer, y, aunque incipientes, fugaces, lo empezaban a rondar las fantasías a las que, en su casa, se rendía sin reticencias. —¡Qué cuerpo! —murmuró para sí mientras avanzaba una mano hacia la cadera de su esposa, pero antes de tocarla se detuvo, y, echando una ojeada sobre la puerta, la retiró. Una cierta vergüenza se apoderó de él a causa de lo que había intentado, quizá porque tener contactos amorosos con una loca era algo repugnante, bien que él no estaba seguro de esto último y en ocasiones se había preguntado cómo reaccionaría alguien, por ejemplo un amigo suyo, si le dijese que se había cogido a Mónica. ¿Le parecería bien, en atención a que al fin de cuentas seguía siendo su esposa, o la idea le daría hasta un poco de asco, por la misma razón que nos lo causa la de abusar de un cadáver? ¿Y él mismo, más allá de las fantasías, no sentiría repulsión de hacer el amor con una chiflada totalmente ida como su esposa? En general, cuando no lo dominaba el deseo y tranquilamente pensaba en el asunto, creía que sí, y por momentos estaba convencido de esto; mas otras veces dudaba, se decía que, de no verle la cara... No lo sabía.

Se quedó, por largo tiempo, mirando la pared de enfrente y muy poco más. En la periferia de una lánguida atención permanecía el cuerpo de su esposa, la posibilidad siquiera de manosearla, de acariciarla. Nada ocupaba su cabeza el tiempo suficiente como para que en su pensamiento alguna cuestión adquiriera un perfil muy definido, capaz de despertar en él un verdadero interés. Pensaba en una frase que pronunció un amigo en razón de las desavenencias con la esposa, en la formación de su equipo de fútbol, en ciertos gastos que lo aguardaban hasta fin de mes, en lo mal que le había pegado a la pelota cuando quiso alcanzársela a unos chicos, en... Los temas, las imágenes, ciertas disquisiciones breves, entrecortadas, se sucedían unos a otros, retornaban, se iban para siempre. Berdiñas no parecía preocupado por sacar un provecho a la tarde, ni mostraba predisposición alguna a dedicarse a un asunto sobre el que le fuera necesario reflexionar. Por momentos se detenía a escuchar la respiración de su esposa —quien permanecía en la misma posición, de espaldas a él— para asegurarse de que seguía durmiendo, y en ocasiones lo invadió de nuevo el miedo, ahora, de que ella girase hacia él sorpresivamente y con una desfigurada cara de loca lo mirase con esa ausencia vidriosa de los ojos que lo amedrentaba; mas no tardaba el temor en desaparecer, en hundirse en las penumbras, y su ánimo volvía a acomodarse a la paz que reinaba en la habitación, la que se acentuaba conforme pasaba la tarde.

Cayó en la cuenta de repente de que se estaba haciendo tarde. Nervioso, miró la hora. Hacía más de veinte minutos que había terminado el horario de las visitas. Se extrañó mucho de que no lo hubieran ido a buscar. A punto estuvo de incorporarse, aguijoneado por la presunción de que no se demorarían demasiado en hacerlo, sin embargo, aletargado, apresado por una ciega inercia, volvió a decirse que golpearían y permaneció echado. ¿Lo estarían acaso esperando, dándole un rato más para que se percatase de la hora antes de irlo a buscar, en razón de parecer amables? ¿Estarían irritados con él? Se planteaba la posibilidad de levantarse e irse por su propia cuenta pero como algo remoto, casi irreal, hasta llegó a preguntarse si atravesar solo los corredores no constituiría una transgresión grave de los reglamentos, sin embargo esta misma idea no salió del ámbito de una pura retórica que rozaba, no más, la situación en la que se encontraba.

Poco a poco la luminosidad de la tarde fue cediendo. La habitación iba poniéndose penumbrosa. Los rincones más alejados de la ventana oscurecían; las figuras de un cuadrito —que otrora atrajeron en algo la mirada de Berdiñas— perdían definición y se confundían con el con-

16

torno verde-azulado, también éste ya indescifrable, abigarrado. La presencia de la mujer a su lado, inmóvil en su sueño, que había llegado a pasarle casi inadvertida conforme el recuerdo de sus fantasías se había diluido, lo volvía a inquietar, empero ahora por lo lóbrego que le resultaba. El peso del inerte cuerpo en el colchón, que percibía en la inclinación de éste bajo su espalda, lo desanimaba. Las sábanas no seguían ya formas femeninas sino un bulto sospechoso. ¿Cómo podían haberlo olvidado? ¿Cómo no habían ido a buscarlo? ¿Estarían, por alguna razón, aguardando a que él se decidiese a irse, indignados por su actitud pero todavía resistiéndose a ir a buscarlo? ¿Le cabrían penalidades o cosa parecida? Concluía, por lo general, que se habían olvidado de él, aunque esto no era impedimento para que al rato se entregase de nuevo a las vacilaciones.

Cuando las penumbras invadieron totalmente la habitación, el estarse echado junto a su esposa —a quien en la oscuridad tenía por un ser mucho más peligroso aún— se le hizo intolerable. Se levantó y, cuidando de no tropezar, como si caminase en derredor de una fiera, rodeó la cama para asegurarse de que continuaba durmiendo. Acercó su cara a la de ella y se encontró con dos ojos vacíos, pálidos y celestes, que miraban hacia él. Casi gritó a causa del susto y se apartó. Por un segundo creyó que acto seguido ella se levantaría. Sin embargo la mujer se mantuvo inmóvil. Luego de un lapso, cobró valor y se aproximó de nuevo para cerciorarse de lo que había visto. Avanzó la cabeza con precaución. Esta vez tenía los ojos cerrados; incluso oyó que su esposa respiraba profundamente. ¿Había visto antes visiones?, ¿o las veía ahora? Se acercó todavía más, hasta casi un palmo de narices y no le cupo duda de lo que veía y oía. Pero, ¿y si simulaba dormir? Estuvo en un tris de prender el velador, no obstante, alertado de que la luz se vería por debajo de la puerta, no lo hizo. Se dirigió al pequeño baño, cuya puerta estaba cerca de la cama, y allí sí, después de cerrar con sigilo, encendió la lamparita. Un poco encandilado se sentó en el inodoro. No había en el baño más que un inodoro, un bidet, una pileta, todo muy apretado, y en un rincón, poco menos que sobre el bidet, una ducha bajó la cual habían hecho un zocalito incondido que se daba contra el sanitario. No había espejo ni botiquín. Se preguntó cuál sería la reacción de su esposa de entrar al baño y hallarlo allí. No encontró una respuesta precisa, ya que consideró que tanto podía tomarlo como lo más natural del mundo, actuando tal si él no existiese, como transformarse en un basilisco, aunque debía reconocer que esta última presunción no tenía otro fundamento que su recelo. De cualquier manera, estimó que le convenía trabar la puerta con algo, empero no vio nada con qué hacerlo. A la sazón se echó hacia atrás y apoyó la espalda contra la pared; estuvo a punto de subir las piernas para estar más cómodo pero le pareció ya excesivo. ¿Escucharía los golpes en la puerta de la habitación cuando lo fuesen a buscar? Le parecía que en el silencio que reinaba sin duda los oiría. Se imaginó la sorpresa que se llevarían si abrían la puerta de la pieza y no lo veían; seguramente se demorarían un tiempo en advertir la línea de luz bajo la puerta del baño. Pensó que bien podía apagar la bombilla apenas los escuchase entrar. No obstante, ¿no era acaso el caso contrario?, ¿no estaba aguardando que lo buscasen?; y volvió sobre el asunto, ¿no era una anormalidad mayúscula que no lo hayan ido a buscar todavía? Miró el reloj. Hacía cerca de dos horas y media que había finalizado el horario de visitas. Vino a su cabeza otro interrogante: ¿no se supone que tendrían que haber pasado siquiera para controlar a su mujer? ¿Era razonable que luego de los problemas que decían había tenido no pasasen a verla? Empero todo lo que pudo especular en torno de las disposiciones y el gobierno de una clínica psiquiátrica era tan vago que dejó de lado la cuestión.

Percibía en el aire un ligero perfume que atribuyó al uso de unos de esos desodorantes de aerosol que se utilizan para tapar los malos olores en el baño. Por curiosidad se puso a buscar el frasco tras los pies de los sanitarios, pero fue en vano. Se sentaba en el inodoro otra vez cuando al punto una corazonada lo asaltó. Levantó la tapa y, con la satisfacción de un detective al resolver un caso, comprobó que había una pastilla desodorizante colgada en la caja del inodoro. Y ya sin nada más que hacer se sentó a esperar.

Recordaba los últimos tiempos de cordura de su esposa. A menudo lo hacía debido a que se resistía a creer que no hubiera en ellos el indicio que le permitiera comprender qué había en el ánimo de Mónica, o tan siquiera sospechar el conflicto que anidaba en ella y que no había visto la luz sino a través de esa demencia que le era impenetrable, inadmisible. Lo que había rescatado en todos estos meses no era mucho, e incluso era variable y hasta contradictorio. Así, la irritabilidad que había mostrado ella con respecto a la falta de limpieza en la casa ora ocupaba un lugar central —y conjeturaba en torno de lo que podía simbolizar la higiene, o más precisamente la erradicación de lo sucio, y a partir de aquí se abría a montones de indagaciones; en la más dolorosa de ellas y en la que más se detenía se adivinaba él víctima de la infidelidad—, ora no le daba importancia alguna y casi la desmentía, y más bien se inclinaba a pensar que debía tratar de explicarse el por qué de lo mucho que había dormido un día —signo probable de depresión— una o dos semanas antes de que brotara en ella la locura; sin embargo esto no era óbice para que barruntase que en la falta de sueño —que también contaba con sus pruebas fehacientes— debía traslucirse la creciente inquietud que se había apoderado de ella, y en la que tal vez su esposa presagiaba el desenlace. Aunque en realidad se remontaba para todo esto bastante atrás. De los últimos días no había olvidado ciertas circunstancias nimias de las que se aferraba no porque creyera que lo podían guiar hacia la explicación deseada sino en razón de que el vacío, el olvido sobre esos días lo desesperaba y casi maldecía el haberse dejado sorprender por un hecho así sin que hubiera tomado la previsión de llenar su cabeza con recuerdos, por lo que esos detalles en cierta forma aplacaban el disgusto consigo mismo. Guardaba en la memoria, por ejemplo, algunos retazos de una diálogo que habían tenido sobre la pintura del departamento, lo que habían comido la noche anterior al día de su descalabro, la insistencia de ella para que reemplazara una bombita quemada, y en verdad sólo alguna minucia más; el resto, todo lo demás —pese a que no bien ella cayó en la locura, prácticamente al día siguiente, se dio a rebuscar en su cabeza— se había sumergido en un olvido del que, por mucho que lo rascase y lo royese, para su perplejidad, no lograba rescatar nada.

Repentinamente se dio cuenta de que su esposa pudo haber despertado y quizá pudiera estar aterrorizada por la luz que veía bajo la puerta. La imaginó acercándose silenciosamente a la puerta para escuchar; él a su vez hizo otro tanto, aguzando el oído para descubrir unos pasos, una respiración. Pero de inmediato se echó hacia atrás, impresionado por el presentimiento de que ella en instantes irrumpiría en el baño. Aguardó a que esto sucediese por unos momentos, dispuesto a defenderse, a aplacarla. Mas no pasó nada y retornó a sentarse en el inodoro. Aún pensaba que ella podía estar paseándose por la pieza fieramente preocupada. Al rato miró la hora. Se sorprendió al comprobar que habían pasado las dos de la mañana. Estaba poco menos que seguro de no haber dormido y sin embargo no se explicaba cómo el tiempo había transcurrido tan rápidamente. ¿O en realidad había caído en ese sueño tenue del cual se despierta uno en el mismo punto en el que se durmió y continúa con lo que antes discurría, por lo que su existencia, que en ocasiones se prolonga por una hora o más, no llega a advertirse? Lo hubiera creído de encontrarse acostado, pero sentado como estaba se le dificultaba aceptarlo. Aunque como tampoco podía creer que lo que recordaba haber pensado ocupara tanto tiempo, sospechó que a causa del cansancio tenía alguna laguna, una mínima amnesia.

Y conforme las horas transcurrían sin novedad la indignación de Berdiñas contra la institución iba en aumento, ¿cómo podían haberlo olvidado?, ¿por qué no lo buscaban? ¿Es que aún perseveraban estúpidamente en su negativa?

Faltaban minutos para las siete de la mañana. Pese a la puerta cerrada del baño, llegaba hasta Berdiñas el belicoso cantar mañanero de los pájaros en el parque. La espalda le dolía ostensiblemente y la cabeza le pesaba tanto que no faltaba mucho para que desconfiara de que fuera la suya propia. Juzgaba que su mujer ya estaría levantada y en silencio se había dado a alguna actividad (quizá a mirar por la ventana). Estaba agotado y sin dormir, con lo que las preocupaciones que antes lo habían desolado, resbalaban ahora en la epidermis de una indiferencia cada vez más impenetrable. Y a pesar de que no hacía mucho

21

tiempo se había dicho que en el cambio de guardia —que suponía a las siete— se decidirían, no quería permitirse ya ninguna esperanza de que lo fueran a buscar.

La esperanza del lunes

Ese mediodía de domingo, Alberto alternaba la prepa-
ración de un pollo a la cacerola con la visión, a ratos
fugaces, de una carrera automovilística. Su esposa había
salido con su hijo y, aunque no sabía adonde habían ido,
confiaba en que regresarían a tiempo para la comida en
la que se afanaba; afán que no era óbice para que, no bien
tenía la oportunidad, saliera corriendo hacia el televisor,
que estaba en el dormitorio, y viera, en unos segundos
nerviosos en los que intentaba establecer algún ordena-
miento, cómo giraban los autos por el circuito, en una
carrera de la que ignoraba prácticamente todo. Se decía
entonces que no tenía por qué apurarse, incluso, que bien
podía suspender el cocinado por un rato y echarse delante del aparato de televisión; no obstante, juzgaba que su
esposa podía llegar en cualquier momento y que cuanto
más adelantadas estuviesen las cosas sería mejor, por lo
que regresaba con premura a la cocina, en donde hacía
los quehaceres con no menos apuro.

El pollo en cuestión —según la receta que seguía y
que en parte había inventado él— le llevaba siempre no
menos de una hora y cuarenta y cinco minutos, pero él se

23

empeñaba en creer que una hora y cuarto eran más que suficientes y que debía hacerse en este tiempo; en consecuencia, a pesar de que la experiencia indicaba lo contrario, empezaba a hacerlo considerando —con esa cierta infalibilidad que se atribuye a lo que queda en manos de nuestro esfuerzo— que a la hora y quince estaría listo para ser llevado a la mesa, y quizá también por esto le urgía. De cualquier manera el apuro no lograba vencer sus pruritos de cocinero y no podía sino detenerse en los detalles que, mal que le pesaran, le eran ineludibles; a la sazón intentaba ganar tiempo en los picados de verdura y en menesteres por el estilo. Y en esto estaba, cortando una cebolla, cuando, resbalando por la combada y lisa superficie de la verdura, el filoso cuchillo de serrucho que usaba se le incrustó en un dedo. Arrojó el cubierto con furia contra la mesada.

—¡La concha de dios! —puteó, con voz exasperada y queda, al tiempo que se apretaba el dedo con la otra mano. Fue hasta el baño y puso el dedo bajo el agua. Afortunadamente, la herida no le sangraba, con lo que se disiparon sus temores de que la cortadura fuera en alguna medida preocupante. Presionó con la yema de los dedos en derredor de la herida para que la sangre al salir arrastrara los microbios o lo que fuere que el cuchillo hubiera dejado en su dedo, sin embargo tampoco le salió sangre. Se lavó entonces con jabón rápidamente y, luego de enjuagarse, sin secarse, salió del baño pensando que el percance lo atrasaba lamentablemente.

Al llegar su esposa —que no llegó temprano— todavía le faltaba al pollo una media hora, aunque Alberto, inquirido por ella, le contestó —creyendo que mentía en muy poco— que quince minutos; lapso que a la mujer de cualquier modo le pareció excesivo.

—¿Y la mesa? —le preguntó algo enfadada al advertir

que no estaba puesta para la comida.

—Y, no pude —e iba a replicar con una firme justificación, pero se calló.

Sin agregar nada ella se dirigió al dormitorio y apagó el televisor.

A la tarde, Alberto hojeaba sin demasiado interés una revista cuando una inquietud lo embargó; a disgusto se encontró preguntándose por qué no había sangrado el dedo que se había cortado. "¿No será anormal?" se preguntó. Cubriendo la cortadura del dedo se había colocado un apósito y no tenía deseos de sacárselo, por lo que, primeramente, la aprensiva curiosidad que lo había invadido fue quedando varada en una absorta mirada al dedo lastimado. Lo que segundos antes lo preocupó se fue desvaneciendo en la realidad —que , presumiblemente, sólo hacía una pizca titubeante su enfermizo recelo— de que no tenía más que un corte, y más bien lo atemorizó la posibilidad de una incipiente hipocondría. La inquietud, que se había replegado para inquietarse por sí misma, se desplegó de nuevo sin embargo y una pregunta asomó al discurrir de su pensamiento: "¿no será que tengo podrido o algo así el dedo?" Se lo miró, ahora con atenta fijeza, pero no encontró nada en particular y comparándolo con los otros no podía sino pensar que no había ninguna diferencia que justificase su miedo. Se sacó el apósito y observó muy detenidamente la herida, de la que no se podía apreciar más que una límpida separación de la piel. Todo parecía estar bien, excepto que la pulcritud de la lastimadura no lo satisfacía. Fue hasta el costurero y tomó de allí un alfiler; con él regresó al dormitorio y se sentó en la cama. Luego de prender el velador —pese a la buena luz diurna que se esparcía en la pieza—, elevando el dedo hacia la bombilla se pinchó con fuerza en la yema, por encima de la cortadura. Del pinchazo no obtuvo nada. Presionó, masajeándose suavemente sin tocarse la herida, empero continuó sin sangrar. Su ánimo se enervó, en tanto que el asunto tomaba un cariz lóbrego. Se pinchó más abajo, en la falange del medio del mismo dedo y tampoco sangró, y después en la de abajo, la que se junta a la mano, con el mismo resultado. Se apretó el dedo con una fuerza terrible, pujando hacia los pinchazos, sin obtener nada. Volvió a pincharse en donde antes, intentando agrandar los agujeros, y de vuelta masajeó y presionó y pujó, mas el dedo continuaba inmaculado y por la razón que fuera se negaba a entregar la sangre que, a pesar de todo, Alberto no podía sino pensar que tenía. Vencido, abandonó sus intentos. Dejó el alfiler sobre la mesa de luz con un distraído ademán. Pensaba que iría al médico, que perdería el dedo, tal vez más, ¿qué más? Se quedó por un rato mirando sin ver la tapa de la revista. Estaba convencido de que tenía un tumor en la mano.

A la noche, cuando la tensión nerviosa por su estado de salud, que no lo abandonaba ni cuando 'olvidaba' por instantes el asunto, ya abrumaba su espalda, lo asaltó de repente una aprensión todavía más honda: ¡¿y si no tenía sangre, si, un caso en trillones, se había quedado sin sangre?! ¿Era posible? Sabía que no, pero... Se miraba las venas de los brazos, de la manos, en las que no percibía cambio alguno, y se aseguraba que era imposible y que su color azul-verdoso era la prueba de que circulaba sangre por allí, y además ¿cómo estar vivo sin sangre? Era innegable que, más allá del dolor de espalda, de los nervios, estaba en perfecto estado. Enumeró varios síntomas alentadores: orinaba, cagaba, escupía, comía sin vomitar, no tenía fiebre, no estaba particularmente débil; bien que, y pese a todos los evidentes argumentos que se adujo, desconfiaba, no terminaba de convencerse; temía, como en algún momento se teme tras la cortina del baño la presencia de un ser monstruoso de cuya inexistencia no tenemos ninguna duda, que su cuerpo careciera de sangre; su cuerpo, que ahora le parecía inerme; su cuerpo, del cual, al observarlo, se compadecía tal si fuese casi ajeno a él, y del que, al pensarlo, se aferraba de la misma manera que nos aferramos a una propiedad dudosa, algo que en alguna medida pertenece a otros que a su vez no tienen más remedio que prestárnoslo y reconocérnoslo como nuestro. ¡Sea como fuere, quería, necesitaba ver su propia sangre! Sólo así se quedaría tranquilo —en la tranquilidad relativa de sospecharse entonces víctima de un tumor en el dedo o cosa por el estilo—, y escaparía siquiera de la duda que ahora lo torturaba.

Se levantó de la cama con cierto apuro, aunque cuidando de que su mujer, que leía a su lado, no se percatase de su apremio. Se encerró en el baño y se puso a buscar una hoja de afeitar en el botiquín. No encontró ninguna; entonces se le ocurrió que una trincheta serviría igualmente, e iba a salir del baño para dirigirse al escritorio de su habitación, mas se detuvo. Desconfiaba de algo que no podía precisar; no quería salir del baño así, sin más, aunque ninguna razón se lo impedía, quizá porque de repente sintió que de abrir la puerta su secreto rodaría, se esparciría, hasta su mujer. Sin embargo, unos instantes después, fastidiado ante la evidencia de la inutilidad del estarse allí parado simplemente dudando, abrió la puerta con una energía que en seguida, acobardado, se reprochó; y por esto caminó hasta la habitación con una dócil suavidad. Antes de entrar se acordó que había guardado las hojas de afeitar en un estante alto del armario, para evitar que su hijo, trepado al lavatorio, las tomase del botiquín. Buscó entonces una silla del comedor y con ella entró en la pieza. Se sentía expuesto a las preguntas de su esposa, y más aún cuando, subido a la silla y estirado cuanto podía, revisaba a tientas el estante en cuestión. Preso de un creciente nerviosismo, tuvo la impresión de que la mujer posaba en él la mirada. Se estiró todavía más, hasta que trepó en parte al estante y apenas si tocaba la silla con la punta de los pies. Estaba seguro de estar produciendo en ella una extrañeza no exenta de disgusto, y aguardaba ser increpado.

Por fin las encontró y tomando una se bajó de la silla.

—Alberto.

Él la miró y vio que su mujer le sonreía con placidez y un ápice de picardía, al tiempo que bajaba la sábana hasta casi la cintura, quedando al descubierto el escote del camisón. Alberto, confundido, apenas si hizo una mueca ambigua, en la que se revelaba el enfrentamiento entre su intención de devolver la sonrisa y la ansiedad por continuar con lo que en esos momentos lo absorbía. Amagó irse.

—¡Alberto!

Se incorporó la mujer en la cama y volvió a sonreírle, haciendo aún más visibles esta vez sus intenciones. Se desató un pequeño lazo que por sobre el escote redondo y en derredor del cuello sostenía la parte superior del camisón, e hizo caer éste hasta que sus pechos, más bien grandes y todavía altos, quedaron al descubierto. Alberto emitió una risita nerviosa, sin decidirse a nada.

—¡Vení!

Él dejó la hoja de afeitar arriba del televisor tratando que ella no viese qué era, y se acercó. Se sentó en el borde de la cama, aún indeciso, preguntándose cómo haría para excusarse ante su esposa e ir al baño.

—¡Pero vení! —y ella se levantó más y quedó apoyada con las rodillas en la cama, acercando los pechos a su cara. Por primera vez Alberto vio esas tetas como si fueran dos simples mamas, desprovistas de todo contenido erótico, dos pedazos de carne adosados al cuerpo de su mujer que en parte colgaban y que se movían de manera casi desconcertante. Demudado, elevó la vista hacia las facciones de la mujer, tal vez esperando que comprendiese su estado, pero ella no advirtió nada y por el contrario, pasando las manos por detrás de la nuca de Alberto, atrajo la cabeza hacia sus pechos. No le quedó más remedio a él que darse a besarlos, a chuparlos, succionando de unos pezones que le sabían sin ninguna gracia y hasta le resultaban desagradables.

Al poco tiempo, casi sintiéndose obligado a ello, empujó a su mujer, acostándola, y se echó encima de ella. Le besaba la boca, las mejillas, las tetas; lo hacía mecánicamente, aunque intentando, en vano, que le gustase. Dio también a acariciarle las nalgas; no obstante se excitaba tanto como cuando se acariciaba las suyas propias.

En un momento, luego de un lapso, ella le tomó el miembro con la mano.

—¡¿Y esto?!

Su miembro estaba absolutamente fláccido, y lo peor era que él sentía un irremediable vacío de deseo en todo el cuerpo, por lo que, a pesar de que cada vez en mayor medida ansiaba penetrar a su mujer —sobre todo para demostrarse que podía hacer el amor—, no tenía casi esperanzas de que se le parase esa noche, y, como un bebé que sólo puede concebir el presente y al mismo tiempo convertir éste en eternidad, acabó por creer que jamás se le volvería a parar. Creencia que, en vista de lo sucedido con la sangre, adquiría una verosimilitud aplastante.

—¿Te pasa algo? —sonaba en la voz de la mujer una queja agresiva.

—No, nada. —¿Qué podía decir o hacer sino esforzarse por satisfacer a su esposa y acallar ese rumor esparcido en su cabeza de que jamás volvería a coger?

Durante unos veinte minutos, que se le hicieron crecientemente penosos, intentó por todos los medios tener una erección. A medida que su fervor por lograrlo fue en aumento, decrecía la colaboración de su esposa, a quien el fastidio fue de a poco desbordándola. Él le pedía que lo ayudase y, aunque no adelantaba una pizca, trataba de hacerle creer que faltaba un poco nada más y no bien ella tornase tal posición o tal otra, o le acariciase aquí o allá, la cuestión estaría resuelta; incluso llegó a pedirle cosas que jamás hubiera querido admitir que le gustaban. Al final se trepaba a ella, transpirado, pesimista, tozudo, y se movía a marchas forzadas como si tuviese un deseo que lo impulsase, bien que no era más que su angustia. La que se ahondó cuando cayó en la cuenta de que su esposa, convencida de que su impotencia era irremediable, soportaba sus arrestos sólo porque se congratulaba de verlo sufrir. Probablemente tenía a este sufrimiento por un castigo merecido. En su rostro había una satisfacción algo iracunda y burlona. Entonces, sin fuerzas para seguir, se dejó caer al lado de su mujer y, al menos en parte, sintió que se abandonaba a su suerte, que la vida, de una construcción que él realizaba, devenía ahora en algo totalmente diferente, en una fuerza indiferente que lo arrastraba.

—¿Qué explicación tenés?

Bajo lo lapidario de la pregunta, Alberto creyó entrever en la voz casi amable de su mujer la intención de ocultar su odio tras el papel, que no le cabía ni remotamente, de esposa razonable y comprensiva que está dispuesta a encontrar junto a él las razones del fracaso. Además, era la misma persona que momentos antes gozaba con sus fútiles esfuerzos.

Por otro lado, ¿qué podía responderle?, ¿que tenía miedo de no sangrar?, ¿que no sangraba? No decidió no responderle, pero de hecho permaneció callado.

—Bueno, tampoco lo tomes a la tremenda. Esto no quiere decir que no vas a poder nunca más. Es algo bastante...

Alberto, ante la posibilidad ya mucho más real, en tanto fue dicha, de que podía ser de ahí en adelante un impotente, se incorporó, sentándose en la cama. Miró a su esposa con inquina y un poco de estupor.

—Es algo bastante común —insistió la mujer—. Y además tampoco...

—¿Qué?

—No. Nada.

La mirada de la mujer se perdía. Su rostro mudó de color.

Alberto la miró con intensidad, buscando que el pensamiento de ella retornase a su lado. Los ojos de su esposa estaban llenos de algo indefinible.

Después de un ratito ella se dio vuelta, dándole la espalda.

—Bueno, hasta mañana —apenas musitó.

Alberto, que estaba apoyado en un codo, se recostó. Permaneció durante algún tiempo acariciándose suavemente la nariz con dos dedos, en una actitud que hubiera convencido a cualquiera de que estaba cavilando, cuando en realidad su mente estaba absorta en la contemplación del ser desolado que era y nada más, delectándose con un espectáculo en el que nadie, excepto una cáscara de él mismo, era real, en parte probablemente porque sólo siendo espectador de sí toleraba lo que le sucedía. Tuvo

31

un amago de reacción, acicateado por un deseo indiscernible, y se irguió, volcándose hacia su esposa, espiándole las facciones con una ansiedad curiosa que se disipó a poco que contempló el rostro silencioso de la mujer dormida, cuyo único rasgo digno de atención —unas extrañas vetas dibujadas en la piel— nada le revelaba. Volvió a estarse echado unos momentos, con la luz del velador brillándole de modo molesto en el rabillo del ojo.

De repente, no obstante, apartó la frazada y, saliendo de la cama con agilidad, se dirigió al televisor a buscar la hoja de afeitar. ¡Si lograba hacerse sangrar todo retomaría su curso! La idea, que saltó a su cabeza como un hallazgo y que no era más que lo que había pensado anteriormente, le dio una esperanza consistente, maciza, ya que se sintió seguro de que era imposible que no sangrase. Caminó hasta el baño con una fe ciega en que, no bien se cortase, habría de fluir la sangre; casi podía sentirla corriendo en sus venas, y además, ¿qué otra cosa podía producirle la ligera agitación nerviosa que padecía sino una circulación más violenta de la sangre? Cerró la puerta del baño convencido de que saldría en unos instantes con la seguridad de haber descartado una gravosa preocupación y que las restantes, el tumor en la mano y la impotencia, no tardarían en desvanecerse a los pocos días. Sacó la hoja de su envoltorio; luego de hesitar unos segundos decidiendo dónde cortarse, levantó una pierna y apoyó el pie en el inodoro; se llevó a la rodilla la botamanga del pijama, y, cerrando los ojos tras una fuerte inspiración, se cortó con la mano temblorosa cerca del talón, en un lugar en el que había visto que pasaba una vena. Y si bien le dolió, más fue el sobresalto por la impresión que tenía de estarse mutilando y por el miedo repentino que lo abordó —bien que paradójico— de desangrarse. No abrió de inmediato los ojos sino que aguardó percibir la sangre corriendo, mas no advirtió nada y, alarmado, miró entonces la herida, que no sangraba en lo más mínimo. Una abrupta desesperación lo invadió; tuvo deseos de correr, de escapar hacia la calle, no obstante, arremangándose un antebrazo, se hizo otro tajo, no muy lejos de la muñeca, esta vez intentando cortar la vena longitudinalmente. Casi un llanto que le subió de las entrañas se le escapó cuando —horriblemente impresionado además porque en esta ocasión vio cómo se hundía la hoja en su brazo— comprobó que la sangre no aparecía. Quería llorar entregada, abiertamente, sin embargo no le salían más que unos llantos esporádicos y guturales, en apariencia tan forzados que si alguien hubiera estado allí habría creído que hacía fuerzas para llorar. No sabía qué hacer y sólo se miró al espejo, quizá para ver cuán deformadas estaban sus facciones y tener entonces una idea más exacta de la medida de su desgracia. Allí se quedó, observándose. La familiaridad del rostro que veía en el espejo —transfigurado en un grado que no mellaba lo corriente, por archivisto, que a él le resultaba— lo desacomodó. Su razón creía estar viviendo una situación terrible, y así lo había sentido durante unos instantes, luego del corte en la pierna, al cortarse el antebrazo, empero en apariencia su estado de ánimo refluía hacia una resignación sorprendente. Y se indignó en algo contra sí mismo por la imposibilidad de vivir sin reparo alguno la situación horripilante en la que se encontraba. Incluso yacía bajo su pensamiento un interrogante que no llegó a emerger decididamente: ¿cómo podía estar ahí delante del espejo, buscando adrede en el rostro las manifestaciones del dolor, cuando debería estar simplemente sufriéndolo?

Alberto creía que, ya, sin aguardar al día siguiente, debía hacer algo trascendente, tomar una resolución en algún sentido —irse de la casa, suicidarse—, sin embargo se dirigió al dormitorio y allí, sin más remedio, se introdujo en la cama. Se acostó de espaldas, pero mirando, casi sin ver, la pared lateral. A su lado su mujer respiraba con fuerza y con ruido, en un dormir tan evidente, tan audible —casi aparatoso—, que dio pábulo a su encono contra ella, ya que le era molesto en grado sumo esa suerte de indiferencia de la mujer hacia sus penurias.

—¡Guacha de mierda! —se dijo, mas no pasó de allí y ni siquiera la miró.

Se dio a morigerar su aflicción, asegurándose que iría al médico y que probablemente éste encontraría una explicación sencilla para su aparente mal, quizá hasta tan palmaria y accesible que a toda su historia de hoy podría verla con un risueño sentimiento de alivio, disfrutando de su propia ridiculez pasada. Tranquilizado por las palabras del doctor, vería entonces la lúgubre ansiedad de este momento con una satisfecha lejanía, y aun haría algún chiste sobre sí mismo tomando al médico como cómplice para reírse de la persona que fue cuando estaba sumido en el temor. «¡¿Cómo podía creer que no sangraba?!» —se diría—.«¡Qué tonto!» No obstante esta ficción optimista que armaba no lo convencía y se estrellaba contra los acontecimientos innegablemente vividos, los que lo urgían a ser considerados con el grado de realidad con el que se habían impuesto. Pudiera ser también —especulaba— que el médico no tuviera explicación alguna, e inclusive —de repente cayó en la cuenta de esto— era poco menos que un hecho que el médico se negaría a creerle y que lo despediría sin más, tomándolo por un trastornado y negándose de plano a pincharlo o a comprobar de algún modo lo que a él le sucedía. Nadie le iba a creer.

Se le ocurrió, luego de un rato, que podría donar sangre para que, sorprendidos porque no lograban extraerle una gota, le creyesen en parte y al menos lo revisaran. Aunque después se replicó que buscarían una excusa —la aguja tapada, la posesión de malas venas, por lo que no habían podido punzarlo bien, o cualquier otra explicación—, y lo mandarían de vuelta sin muchos preámbulos y sin prestar atención a lo que él les dijese. A nadie podría convencer por mucho que expusiese razones y mostrase sus cortes.

Su mujer dio un cuarto de vuelta y cayó de espaldas, pegada a él. Pese a que dejó de respirar ruidosamente, la proximidad de su esposa lo espantó y se apartó, extendiéndose junto al borde de la cama. Se había quedado sin almohada y no se atrevía a intentar correrla de debajo de la cabeza de ella. Apoyó la sien en la mesa de luz.

Se fue quedando dormido mientras intentaba otorgarse una esperanza diciéndose que al día siguiente se cortaría más larga y profundamente, con lo que lograría hacerse sangrar, y que posiblemente en las anteriores oportunidades, por cobardía, no había hundido la hoja de afeitar lo suficiente; aunque este forzado optimismo sólo rozaba la superficie de una sorda y densa pesadumbre.

La aversión

Maximiliano se asomó, apenas, por encima del hombro de su hermana y espió lo que ésta escribía. No tenía casi ninguna curiosidad sobre el escrito y sabía que éste carecía de importancia, su propósito —si así puede llamarse el impulso que por costumbre lo dominaba— era someterla a una de las muchas humillaciones —grandes y pequeñas— que a lo largo del día y de los días se le hacían inevitables. En general su hermana se defendía con ahínco, y con su horrible y gutural voz de sorda parlante le espetaba insultos y amenazas, de los que él o bien se reía o bien los consideraba justificación suficiente para golpearla, a veces, en razón de que su hermana era inteligente y descubría algunas de sus miserias más gravosas, con una violencia poco menos que sin freno, a veces midiendo las fuerzas, con mayor maldad, casi odiándose por pegarle. Había adquirido el hábito de golpear con el puño cerrado las nacientes tetas de la chica, y casi podría decirse que en los últimos tiempos no había golpe que no lo dirigiera allí, aunque si le hubieran preguntado, él, no muy alejado de la sinceridad, hubiera negado tal cosa y habría argüido que si de vez en cuando le pegaba en uno de sus recientes pechos, era por casualidad.

Laura, que sorda absolutamente en ocasiones percibía como si oyera, giró la cabeza y, descubriendo a su hermano, se levantó, furiosa. Creía que él, como en tantas oportunidades, la había insultado o le había dicho asquerosidades, aunque hacía tiempo que él ni siquiera se molestaba en decirlas y le bastaba con que ella lo pensase.

—Salí —la voz cascada salió más aguda que de costumbre, al tiempo que lo miraba con esos ojos firmes, levemente desesperados, con los que le aseguraba al hermano que estaba dispuesta a existir y a estar.

Maximiliano dudó. No estaba de ánimo muy belicoso y si había ido a molestar a su hermana era más bien por hábito. No estaba demasiado dispuesto a vejarla, pero por otro lado sentía que no podía retroceder frente a esa mirada, ya que su desgano, aunque más no sea a través de la intuición, que también yerra, sería mal interpretado. Durante unos momentos permaneció quieto y en silencio.

—Conchuda —le dijo finalmente y la empujó poniéndole la mano abierta en la cara.

La chica se protegió los pechos con los brazos, aguardando la continuación. No se cubría bien y a un costado de un antebrazo, bajo la remera, uno de los pechos se mostraba. Por vez primera no tuvo deseos de golpearlo sino de agarrarlo con la mano. No obstante levantó la vista y la cara fea de su hermana, que lo observaba con un gesto que torcía sus facciones y les daba una expresión obtusa, lejanamente patética, lo asqueó.

—¡Belfa! —le escupió en la cara. (Utilizaba muchas veces palabras raras, de poco uso, o con el sentido cambiado —como ahora—, incluso en ocasiones inventadas, para que ella al leer los labios quedara desubicada, rebajada por la evidencia de su invalidez). Y Maximiliano le tiró una trompada al bulto, sin precisión. El puño pegó en un brazo y luego en un hombro. El golpe, fallido en parte, lo enojó todavía más.

—¡Puta! —la agarró del cuello de la remera y la sacudió. Ella emitió una suerte de gruñido.

—¡Qué cacho de mierda sos! ¡Qué cacho de mierda sos! —la sacudió un poco más, exasperado, y la soltó con violencia.

Laura, que había caído contra el pequeño mueble en el que escribía, se repuso y, siquiera en alguna medida, lo volvió a enfrentar. Tenía la cara descompuesta en una mueca en la que se mezclaba el llanto, la incomprensión, y ese odio vacilante del más débil, que pareciera bifronte: por un lado expreso, visible, mientras por el otro, a sabiendas del primero, que en parte se hace cargo, prepara la huida. Maximiliano, quizá porque hacía cerca de tres días que no le zumbaban los oídos, no tenía tanta bilis adentro como para seguir adelante, sin embargo la actitud de ella no le parecía lo suficientemente apichonada para que él pudiera irse sin más. Por un lapso no supo qué hacer. La miraba sin decidirse a nada. Finalmente, cansado de su indecisión, la trajo con torpeza hacia sí rodeándola con los brazos, y le apretó con fuerza la espalda a la altura de la cintura hasta que la chica cayó a sus pies. Entonces aprovechó la mortificante situación de ella para marcharse.

Hacía tiempo que, de vez en cuando, se decía que era una bestia por tratar así a su hermana. En estas ocasiones se planteaba cómo hacer para tratarla más amablemente sin que se interpretase que había retrocedido, que se arrepentía. No sabía cómo escapar de las circunstancias que él mismo había creado y que lo ataban a una posición de la cual —recién ahora, que había llegado al paroxismo de los golpes, pudo advertirlo— no sacaba más que momentos violentos y enojosos, y el asiduo sinsabor de pensar en el triste asunto. Al fin de cuentas ¿que le importaban las imbecilidades de su hermana mientras no lo involucrasen a él?, ¿o lo que hacía o dejaba de hacer? Bien podía desentenderse no sólo de su destino sino también de las costumbres y las menudas actitudes de ella que lo irritaban hasta el hartazgo. Aspiraba entonces a una saludable indiferencia con respecto a la chica. Casi podía verse, saliendo y entrando de la casa, buscando libros en la biblioteca, comiendo, sin que la presencia de Laura lo alterase en lo más mínimo. Pero, ¿cómo lograrlo? No encontraba otro modo más que reducir muy gradualmente la presión feroz sobre su hermana hasta que desapareciera casi sin que ella lo advirtiese, y si, con el tiempo, en algún momento se preguntara qué había producido un cambio tan notable no dudase en atribuirlo a sí misma, a que había renunciado a todo lo que a él lo enfurecía. Sin embargo ni siquiera se convencía con este razonamiento, aun en el abstracto e incipiente estado en el que se le presentaba —el que suele hacer atractiva una idea— , en razón de que no creía poseer un dominio tan absoluto de sí mismo como para estar midiéndose constantemente, y si lo creía en la primera oportunidad en que se cruzaba con su hermana comprobaba el engaño en el que había caído. Por lo que él seguía adelante, en un crescendo, si bien no abrupto, de golpes y vejaciones, en parte porque el odio le bullía en las entrañas con muy poco que su hermana hiciese, en parte porque intuía una luz al final del túnel, aunque si le hubiesen preguntado no hubiera podido precisar cual era este final al que aspiraba.

Maximiliano entró a la cocina y tomó un vaso de agua a las apuradas, de un solo trago, no porque tuviera premura para hacer algo en particular, sino más bien a causa de cierta exasperación que como un resabio malsano le quedaba después de enfrentarse con Laura. Cuando terminó de tragar hizo un movimiento brusco con la mandíbula, como el que se realiza cuando se quiere destapar los oídos, mas enseguida, asustado, se arrepintió, no fuera cosa que por esto, justamente, le volviese el zumbido que cada tanto lo atormentaba desde hacía unos meses atrás. Maximiliano nunca podía establecer en qué momento empezaba o si estaba vinculado a alguna circunstancia en especial, lo cierto es que de repente caía en la cuenta de que, tal si fuera una música de fondo, escuchaba un zumbido continuo y monótono, indefinible, el que casi era imposible de descifrar si grave o agudo. Claro que la monotonía, que podía comprobar cuando se lo quedaba escuchando un tiempo prudencial, ni muy corto ni tampoco muy largo, no significaba necesariamente un volumen constante; y así, por ejemplo, le sucedía que se lo quedaba oyendo tiempo y tiempo, obsesionado por descubrir su naturaleza y por hacerlo desaparecer, y más fuerte le parecía, en una progresión que, en tanto interferían en su atenta escucha sus nerviosos pensamientos, identificaba más que nada por su supuesta capacidad para tapar otros ruidos, a más de, vara infalible, por el aumento de su propia desesperación. En otros momentos se olvidaba del zumbido —pese a que luego, retrospectivamente, sabía de su presencia durante ese lapso—, y actuaba como si no existiese, excepto por una larvada preocupación que él mismo no advertía y que se hacía visible en una ligera crispación del rostro.

Más de una vez, cuando el zumbido se le hacía harto molesto, había intentado quitárselo metiéndose el dedo en la oreja y haciendo sopapa, ya que, sin creer que esto fuera posible, sopesaba la posibilidad de que la cera, al hacer presión sobre el tímpano, le produjera el ruido —a su vez se decía, para explicar lo asiduo del fenómeno, que últimamente tal vez segregaba una cera de consistencia distinta, más dura por ejemplo—, pero con el violento vacío que hacía al mover enérgicamente el dedo no lograba sino hacerse doler y, además, echarse encima posteriormente la preocupación de haberse hecho un daño innecesario. Por mucho que le diese vueltas a la cuestión no podía menos que creer que se estaba quedando sordo, y que el zumbido era sólo el primer síntoma de una patología que seguiría después con una disminución gradual de la audición hasta que, como su hermana, no escuchara nada. Se resistía a considerarlo así sin más, empero no le quedaba más remedio que aceptar, dado lo que le ocurría y el antecedente familiar tan cercano, que era lejos lo más probable. Por esta causa, al poco tiempo de que el zumbido diese a molestarlo con frecuencia, había tomado la costumbre de golpear débilmente alguna cosa, en un ademán deliberado, para verificar cuanto oía; y, como el miedo a la sordera lo abordaba en cualquier momento y en cualquier lugar y a veces no soportaba esperar a circunstancias más propicias, había caído en ridiculeces, al punto que lo había hecho delante de gente que le estaba hablando, en casos en los que, pese a estar escuchando perfectamente, no confiaba más que en los ruidos producidos por sí mismo, ya que eran de los únicos en que estaba seguro del volumen del sonido. No obstante, sólo había una medición a la que consideraba exacta en alguna medida y de la que se fiaba mayormente: dejaba caer el sacapuntas que usaba a tal efecto en un lugar determinado de la mesita que había en su pieza, desde una altura establecida que medía con una regla, colocando él una y otra oreja alternativamente a una distancia que tenía también calculada. Claro está que el método tenía sus falencias y en ocasiones no estaba nada convencido de

41

que lo oído era lo mismo que lo del día anterior; no tenía más vara que su recuerdo y, además, tampoco el sacapuntas caía siempre igual, con lo que, a pesar de su relativa confianza en lo que había ideado, no dejaba de darle disgustos y, muy de tanto en tanto, hasta rabietas. No se atrevía a ir al médico debido a que temía confirmar su firme presunción de que estaba cayendo de manera despaciosa e inexorable en la sordera. Prefería la incertidumbre a no tener ninguna esperanza.

El zumbido y el consecuente miedo a la sordera eran bastante posteriores a su odio a Laura, a sus golpes y humillaciones, y los exacerbaron solamente en pequeña medida. Esto último en razón de que se apoderaron de él dos inclinaciones contrapuestas: por un lado no podía sino culpar a su hermana por la penuria que atravesaba; culpable por su sorda existencia, la que evidenciaba una tendencia genética en la familia que ahora caía sobre él; culpable si se quiere por "contagiarlo" o más precisamente por haber deseado con seguridad que su mal se extendiese, por lo menos a él en particular (culpabilidad que Maximiliano nunca se había planteado muy concretamente y que no había expresado más que con un: ¡Esta hija de puta!, cada vez que pensaba que habría de quedarse sordo); por otro lado, en parte, consideraba que su sordera era un castigo para él por su malignidad, no ya como "venganza" de Laura, no ya como el deseo de ella realizado, sino un auténtico castigo de parte de una justicia invisible que se ejercía sobre los hombres, fuera de origen divino o no, aspecto en el que ni siquiera se detenía. En las oportunidades en que esto creía se sentía anonadado y se proponía, verdad que débilmente, ser mejor con su hermana, y culpaba a su carácter bilioso, como si éste no fuera él mismo sino un quiste extraño a su persona, de la brutal inquina hacia la chica que solía ganarlo.

42

La disposición de Maximiliano a creer que sus virtudes eran parte de su naturaleza y su yo más íntimo, y los rasgos más miserables a una suerte de ente que lo habitaba, no era más pronunciada que en otra persona cualquiera, pero adquiría en él un aspecto peculiar: se sentía menos responsable que el común de la gente de ese otro ente, y si bien a veces se ponía como meta el domeñarlo, lo hacía con el compromiso con que lo hace una persona con respecto a otra, a un pariente por ejemplo, tal si se dijera: "hago todo lo posible pero al fin de cuentas es su problema". Bien que, en este caso, por momentos, y dado que el castigo que imponía la sordera recaía indudablemente sobre él, no le era posible desentenderse tan sencillamente de las sombras que lo habitaban.

Victoria, la otra hermana de Maximiliano, entró a la cocina y se dirigió hacia él, o más precisamente hacia la alacena.

—Corréte —le dijo, para que no la estorbara.

Él se apartó.

—¡Tanto vaso! —soltó ella, disgustada.

Maximiliano miró sin demasiado interés los vasos alineados en el estante, que no eran muchos.

—¿Comiste?

Maximiliano dudó en contestar. No había comido, pero consideraba que tendría que haberlo hecho.

—Sí —afirmó, aunque en seguida se arrepintió—. Algo... —agregó, no muy convencido.

—¿Y la loquita?

—¿Si comió?

—Sí.

—¡Qué se yo! —Maximiliano se encogió de hombros.

Victoria sacó un pedazo de tarta de la heladera.

—Esa, siempre acá dentro, ¿no?

—Sí, será que... —Maximiliano esbozó una sonrisa

sarcástica en la que brillaba, además, una pizca de alegría.

—Que ¿qué?

—No sé... —estimó más prudente callar.

Su hermana lo miró por un instante. Sus ojos celestes aparecían inmediatamente bajo un flequillo castaño peinado hacia el costado. Luego llevó el pedazo de tarta a la mesa.

Durante unos momentos permanecieron callados.

—Mañana me voy todo el día. Desde temprano.

Maximiliano notó que en el tono de voz de ella se sugería que ese dato trivial tenía una significación, aunque a él se le escapaba.

Estuvo en un tris de preguntar a dónde iría, pero el temor a quedar desairado lo contuvo. Empezó a moverse para marcharse cuando su hermana giró la cabeza hacia él.

—¿No tendrías que estar en clase?

El primer impulso de Maximiliano fue de no contestar, no obstante se juzgó obligado a hacerlo.

—No —dijo finalmente con tono débil y resignado mientras salía.

Se dirigió a su pieza. Caminaba diciéndose que no podía seguir posponiendo el objetivo que se había impuesto para ese día, por el cual, sólo para no distraer energías, no había ido a clase. Cerró la puerta tras de sí y de inmediato puso un cassette en el radiograbador. Ligeramente emocionado por la música se paró junto a la ventana. Se veía un techado de zinc y un pedazo de patio de baldosas grises, y no más que esto. Cuando bullía en su interior una cruenta inquietud —aunque generalmente velada—, se entregaba a ciertas costumbres casi rituales con las que pretendía encontrar una suerte de tranquilidad de espíritu que no fuera perturbada en demasía por el fracaso.

Supo en algún momento que ni así, en soledad y con

esa música a la que tenía por heroica y hermosa, cobraría valor. Volvió entonces a la cocina, en donde su hermana ya no estaba, y se sirvió medio vaso de Coca-Cola, con el que regresó a la habitación. Allí abrió un placard y de detrás de unas cajas sacó una botella de gin, de cuyo contenido volcó en el vaso de la gaseosa una medida bastante abundante. Se sentó en una silla frente a la mesita que hacía las veces de escritorio y dio a tomar la bebida sorbo a sorbo. A medida que iba tomando la música le sonaba aún más viva y retumbaba con mayor fuerza en su ánimo, aunque no por esto decaía la sorda intranquilidad que lo embargaba, que devenía casi en angustia cuando se apremiaba ir sin más demoras al teléfono. Sólo por pequeños lapsos olvidaba en alguna medida lo que se proponía y a la sazón se dejaba arrastrar por una agradable sensación de lástima y admiración por sí mismo; hasta llegó a sucederle que, emocionado por lo patente que en un futuro no tan lejano sería su valía para los demás, verdad que por razones que no alcanzó a establecer, las lágrimas le asomaron a los ojos. En otros momentos se disgustaba por el esfuerzo infame que debía hacer para llevar a cabo una llamada de teléfono a una mujer, la que otro ya hubiera hecho con la mayor naturalidad y sin que asomara a su mente siquiera que esto constituyese un problema o cosa semejante.

Luego del segundo gin-cola y ya con más de una hora de estarse allí, escuchando música y bebiendo, empezó a surgir en él no tanto la osadía sino el deseo de ser osado, la creencia en que podía serlo. El alcohol, que únicamente tomaba de cuando en cuando, en las ocasiones en que necesitaba no ser exactamente la persona que era, hacía que se sintiera más inmerso en la vida, y que las emociones, nacidas de la pura especulación, fueran más profundas. La sucesión de estados de ánimo, que se correspondían con los meandros del discurrir de un pensamiento algo desbocado, eran tan próximos que ora reía por una dicha imaginada y ora, no más que instantes después, sus facciones expresaban un desánimo sombrío, una hosca amargura, y esto, sobre todo, cuando la urgencia de la llamada lo abordaba y sentía el hálito del posible ridículo que lo aguardaba.

Finalmente, más que por otra cosa, por hartazgo y por miedo a que se hiciera una hora inconveniente para llamar, fue a buscar el teléfono y lo llevó a su pieza. Se encontró llamando sin que pudiera encontrar una razón plausible para detenerse. El teléfono llamaba y él casi deseaba que no hubiera nadie.

—Hola —se oyó una voz de mujer mayor.

—Buenas tardes.

—Buenas tar...

—¿Está María Eugenia? —la interrumpió por torpeza Maximiliano.

—No —la mujer arrastró un poco la o—. Ella no está. Salió —le dijo en un tono levemente apenado, o por lo menos, de consideración hacia quien se dirigía.

—Ah, ¿y cuando vuelve?

—No. Vuelve muy tarde, o se queda en casa de una amiga.

—Ah... Bueno, muchas gracias.

—No, de nada.

—Hasta luego.

—Hasta luego.

Maximiliano colgó el teléfono aliviado, bien que no tardó en invadirlo una sensación opuesta, de horrible frustración, al caer en la cuenta de que todos los prolegómenos, los preparativos, el alcohol, la música, el tiempo, la angustia, fueron para nada. E imaginó la situación como la vería un espectador omnisciente: mientras él se debatía en una amarga zozobra, la otra, que no sabía que iba a llamar —y aunque lo hubiera sabido seguramente lo hubiera tenido en muy poco—, ni siquiera estaba en la casa y estaría por allí, viviendo en una felicidad que prescindía de él perfectamente y que lo ignoraba con absoluta naturalidad. Esto que imaginó terminó por vencer cualquier envanecimiento, cualquier orgullo, de los cuales él extraía la energía para sentirse mínimamente a gusto en la vida.

—Tengo que hacer algo —se dijo, convencido, sin estarlo en realidad. Y renació en él la idea, de la que a menudo se asía, de intentar debutar en el sexo con una parienta, alguna que le hiciera el favor de dejarse coger para que él se quitase el miedo. En la que había pensado con más frecuencia era en una prima de su madre, una mujer sin ningún atractivo pero que, cincuentona y separada desde hacía años, no haría gran problema —creía él— por una cópula más o menos, empero había especulado en pedírselo a casi todas sus parientas, incluso a su hermana menor, la sorda, a la que le devolvería el favor —que humildemente pediría— deponiendo su odio; sin embargo esta predisposición de ánimo duraba unos momentos y luego aborrecía a su hermana más que antes y descreía que fuera él tan menesteroso para pensar lo que había pensado, rebajándose tanto, aunque siempre quedaba un resabio, en algún lugar, de esa esperanza de que la fea chiquilla se dejase, que sólo desaparecía verdaderamente cuando su atención se desviaba hacia otra parienta o, en todo caso, hacia otro asunto.

A la mañana siguiente, no muy temprano, un grito despertó a Maximiliano. Se levantó y, obnubilado todavía, corrió hacia el pasillo, alarmado por lo trágico, lo desenfrenado del alarido. Otro sonido, esta vez quedo, ahogado, gutural, se dejó escuchar. Creyó adivinar que provenía de la habitación de su hermana Laura. Entró raudamente con un peso funesto en el corazón, pero en parte también dispuesto a golpearla si fuera el caso que le hubiera dado un ataque histérico o alguna aberración similar. Su hermana Victoria, que estaba agachada junto a la cama, se paró y giró hacia él con el rostro desencajado. Avanzó velozmente hacia él.

—¡¿Está muerta?! —gritó, ronca la voz, preguntando al mismo tiempo que afirmando.

Maximiliano miró a Victoria con una perplejidad alucinada y se abalanzó hacia la cama. El cadáver de Laura le produjo en principio tal rechazo y horror que se echó hacia atrás con violencia. De la boca entreabierta de la chica asomaba una lengua muy morada. Todo su cuerpo exudaba muerte con una evidencia espeluznante. Vino a su mente el pedido de Victoria de que verificara la muerte y, aunque le parecía innecesario, trémulo avanzó una mano hacia el cuerpo que yacía sobre la cama, mas no llegó a tocarlo que, aterrorizado, la retiró.

—¡¡Aaah!! —no pudo evitar emitir un grito.

Una idea terrible se instaló de repente en su cabeza: él la había matado durante la noche, dejándose llevar por la violenta aversión que le guardaba. Sus facciones adquirieron una espantosa expresión. Supuso que la había ahogado con la almohada, seguramente dormido —por esto no recordaba nada—. Se volvió hacia su hermana Victoria desesperado, boqueando, los ojos desorbitados; caminó hacia la puerta y se apoyó de costado en ella; sus propios brazos parecían querer sostenerlo como si el de él fuese el cuerpo de otra persona. De manera confusa confluían en su horror lo que creía haber hecho y lo que le esperaba.

Por un instante levantó la vista y vio que Victoria lo miraba, demudada.

En la parroquia

Al tiempo que una corriente de aire atravesaba los corredores y las habitaciones de la parroquia, se escuchó un seco portazo. El padre Juan Carlos se asomó desde su dormitorio, no muy seguro de atribuir al viento el golpe de la puerta. Se había cerrado la que comunicaba al pasillo de salida y a la pequeña oficina de adelante. El cura se dirigió hacia ella y la abrió. La claridad que entraba por la otra puerta, la que daba al porche, disipó en buena medida sus temores. Por las dudas, igualmente echó un vistazo en su oficina. Estaba vacía, o por lo menos esto parecía. A punto estuvo de regresar sin más a su pieza, pero una repentina sospecha lo retuvo. Miraba fijamente el escritorio, bajo el cual podía estar alguien escondido. Aspiró un poco más fuerte y, rodeándolo, se agachó: nadie estaba allí. Inmediatamente fue hasta el armario y lo abrió. El comprobar que estaba también vacío no lo confortó sino que, por el contrario, superado el temor a una presencia extraña, surgió de inmediato en su ánimo una oscura inquietud por su desconfianza, por su miedo. ¿Qué lo había llevado a buscar tan puerilmente a una persona en su oficina a esa hora de la mañana? Mientras cerraba el armario un gesto de reconcentrada preocupación se adueñó de su rostro. De repente, volteó la cabeza, abordado por la idea de que alguien lo hubiese visto revisando la oficina; mas todavía faltaba un rato para que llegara la señora Olga. Contrariado, volvió a su dormitorio.

No bien entró a la pieza tuvo la certeza de que, al instante del portazo, recordaba algo importante, fuere que tuviera que hacer o que le sirviera en sus reflexiones sobre algún asunto trascendente, y que ahora había olvidado. Perturbado por esta pérdida, a la que sentía primordial, miró en todas direcciones, buscando en los objetos de su dormitorio lo que había olvidado, como si esto hubiera quedado prendido, adosado, impregnado a algunos de los enseres. De los primeros vistazos no obtuvo nada, excepto el convencimiento de que en alguna cosa de esa habitación estaba la respuesta que buscaba. Se quedó mirando por un prolongado lapso, con mayor detenimiento, incluso detalles menudos, como la perilla de un cajón o la llave de luz de la lámpara. ¿Qué podía haber olvidado que había dejado en él un resabio tal que le urgía recordarlo? Una duda —y éste tal vez era uno de los aspectos que más lo atormentaba— anidaba en su búsqueda: ¿era personal o atañía a sus feligreses lo que había olvidado? No tenía nada de que asirse para asegurarse una cosa u otra, y aun —a pesar de su zozobra— no estaba muy de acuerdo en hacer una distinción en ese sentido. No obstante, poco a poco, sin que él se percatara verdaderamente, el mirar fue perdiendo sentido; la sensación que había tenido de que ahí, inmediatamente, al alcance de los dedos de la memoria, que sólo debían estirarse una pizca más, estaba el recuerdo, se desvanecía. Parado a los pies de la cama, fruncido el ceño, algo encorvado el cuerpo dentro de la sotana negra, el padre Juan Carlos paseaba la mirada cada vez más quedamente; todo él perdía vivacidad. A la espera de que un objeto sacara el recuerdo de las honduras en las que se había sumergido, se perdió en el simple mirar, al punto que olvidó también para qué miraba, y sus ojos, abstraídos, sin perder su aire afligido, se quedaron muertos, colgados de los enseres, y su pensamiento se aletargaba de manera tan profunda que difícilmente surgiera algo en su cabeza.

Unos pasos femeninos lo arrancaron del ensimismamiento. Un poco desubicado, como si le costase regresar al mundo de la concreta inmediatez en que irremediablemente se vive gran parte del tiempo, se dirigió hacia el pasillo sin tener plena conciencia de que no podía ser otra persona que Olga, mujer que se encargaba de la limpieza y de otros menesteres similares en la parroquia. Sólo cuando la vio venir hacia él por el pasillo, con su infaltable saquito de hilo marrón y su pollera al tono, adquirió una forma definida y firme lo que hasta el momento había sido una muy vaga presunción. La llegada de la mujer lo molestó, en buena medida porque los saludos y el diálogo que entablarían, que aunque corto era inevitable, le harían perder el tiempo, que le apuraba, para encontrar lo que había olvidado.

—Buenos días —la mujer le sonrió tan seca y efímeramente como lo hacía siempre. El padre Juan Carlos, al tomarla, había pensado que, por pertenecer ella a su feligresía, transferiría su adhesión a la religión y al culto hacia su persona, empero se había llevado la sorpresa de que la mujer no le tomaba un ápice de simpatía, pese a algunos esfuerzos que realizó para obtenerla, que habían llegado a un par de concesiones verdaderamente penosas para él.

—¿Qué tal? ¿Cómo anda? —preguntó el cura, que intentaba, casi como costumbre adquirida y ya inconsciente, presente en todo saludo, inquirir de tal manera que

51

sus palabras no sonaran como una fórmula sino que expresaran un auténtico interés por lo que le sucedía a la persona en cuestión, tal si habilitaran a quien las dirigía a volcarle, sin más, las más íntimas desgracias.

—Bien, gracias.

La mujer hacía caso omiso de la entonación de las palabras o siempre le iba bien.

—Hoy debemos pagar a la florería —le dijo el padre, quien se cuidaba de dar una orden descarnadamente.

—Bien.

—Y... —por un instante se olvidó lo que iba a decirle y nació en él la violenta esperanza de que fuera este olvido el que lo había perturbado tan intensamente, ya que no dudaba de que lo subsanaría en seguida—. ¡Ah! —hizo un ademán con el brazo, aunque casi de disgusto—, hay que cambiar las velas del altar —agregó, desilusionado al caer en la cuenta de que este menudo olvido no guardaba relación alguna con el que lo atormentaba.

—Pero... las velas están todavía bien.

La señora Olga, pese a que se imponía ser prudente, le porfiaba cada vez que creía percibir que la parroquia hacía un gasto innecesario, quizá porque era el único (y harto sutil) modo que encontraba de protestar por su poca paga, quizá porque creyera que la iglesia, por lo menos esa parroquia en particular, se debía a la austeridad.

—Mejor cambiarlas —el padre Juan Carlos hizo un gesto afirmativo con la cabeza, como si el asunto fuera un problema técnico y él el mecánico que contaba con el saber profesional para resolverlo. Por unos segundos pareció que la mujer iba a insistir, nada convencida con la firmeza de él, sin embargo, probablemente por el recuerdo de anteriores fracasos ante la amable imperturbabilidad del cura, hizo un débil gesto de aceptación.

—Y si puede, limpie el fondo. Así ya lo tenemos preparado para el sábado.

La mujer no contestó nada y continuó su camino hacia las piezas de atrás.

El cura, por unos segundos, quedó un poco confuso, en razón del vacío que se le abrió al retirarse la mujer. Él no hablaba con ella —y prácticamente con nadie— sin concentrarse de manera particular en lo que decía; nunca hablaba, como sí lo hace tanta gente, de manera espontánea, mientras, por ejemplo, hacía otra cosa, por lo que el decir adquiriera una facilidad natural y las palabras se sucedieran unas a otras sin más dificultad que el pronunciarlas, sino que su mente se reconcentraba siempre en la situación tal si estuviera en un examen ante unos profesores. Por ende, cuando una conversación finalizaba, a él lo abordaba una sensación semejante a la que pudiera sentirse al bajar un empinado tobogán, y perdía, durante un corto lapso, la noción del presente o, más bien, la noción de lo que venía después.

Apenas superada la efímera confusión, se dirigió a la oficina, más que por otra cosa, porque cuando la señora Olga andaba por la parroquia él prefería refugiarse allí y no en su dormitorio, que le era más grato, por temor a que ella lo considerase un vago. En alguna ocasión había pensado en sacar como por casualidad el tema frente a Olga para hacerle entender que la naturaleza de su trabajo era distinta y que tanto valía que lo realizara en el dormitorio, pero había desistido de hacerlo, en parte debido que se hubiera sentido dando explicaciones que no correspondían, que no tenía por qué dar.

Antes de entrar a la oficina ya lo había vuelto a abrumar la firme creencia que tenía de que había olvidado algo que para él era vital. Entró en la oficina y, cerrando la puerta tras de sí, volvió a mirar bajo el escritorio y dentro del armario; esta vez no para descubrir un intruso sino para encontrar lo que había extraviado en su mente. Se sentó en la silla, frente al escritorio, y uno a uno fue abriendo y, luego de un corto vistazo al interior, cerrando los cajones. Lo hacía por costumbre, por hacer algo, ya que en realidad no buscaba nada definido. Cuando terminó, retornó a abrir el primero y sacó un papel del obispado, unas recomendaciones que abarcaban tanto las relaciones con la comunidad como ciertas cuestiones financieras. Él ya las conocía perfectamente, pero las empezó a leer de nuevo, sea porque así se sentía trabajando y distraía la mente, sea por la esperanza recóndita de hallar en esos puntos lo olvidado. Sin embargo no terminó de leerlos; aburrido, dejó el papel sobre el escritorio. Escuchó que la señora Olga limpiaba ya en su dormitorio y se incorporó levemente en la silla; siempre lo intranquilizaba que ella estuviera en su dormitorio pero hoy, además, inusitadamente había empezado por allí, cuando lo usual era que comenzara por el aula del fondo. El hecho le pareció tan extraño que a punto estuvo de ir hasta su pieza a averiguar las razones del cambio, mas se quedó sentado. Se sentía impotente, baldado para hacer cualquier cosa de no recuperar lo que se había refugiado en el olvido; recelaba de hacer algo que, una vez que saliera a luz aquello que se le escapaba, pudiese resultar una equivocación, uno de esos errores que minan la confianza que los demás depositan en uno. No tenía a este recelo por algo lógico, más bien lo contrario, empero no podía desembarazarse de ese imperativo que, podría decirse, latía dentro suyo, por el cual debía recordar lo que había olvidado antes que ninguna otra cosa. ¡¿Cómo recordar?! No había otro método más que la paciencia, ¿pero cómo tenerla si estaba convencido de que lo que había olvidado era importantísimo, y hasta urgente? Intuía vivamente que el asunto que no lograba traer a superficie debía ser resuelto en esa misma mañana, o por lo menos era necesario dar algún paso fundamental en este lapso. Si llegaba el mediodía y no había logrado recordar, quizá, sin saberlo a ciencia cierta, se habría metido en un problema grave, incluso con consecuencias irreversibles. ¿Tendría que ver con el obispo? No lo parecía pero... Nada era imposible; sobre la cuestión no tenía ni sospecha ni pálpito alguno. Incómodo por la persistencia del olvido, se levantó con energía de la silla, revoleando ligeramente las faldas del hábito, y caminó hasta la ventana, como si le hubieran susurrado al oído que en un gato o un pájaro a punto de escapar residía el secreto de la memoria que ansiaba. En el patiecito brillaba el sol sobre las baldosas grises; había en la fresca mañana una quietud particular que el padre Juan Carlos no detectó sino a través de la exasperación que le provocaba. Se retiró de la ventana y, sin saber para qué, salió de su oficina rumbo al dormitorio; no obstante, apenas vislumbró en el primer y brevísimo golpe de vista que la señora limpiaba bajo su cama, siguió de largo hacia las habitaciones del fondo. Un poco perdido, se metió finalmente en el aula en donde se enseñaba catecismo y se hacían de cuando en cuando reuniones. ¿Qué podía hacer para justificar su presencia allí en caso de que la señora Olga lo descubriese? Únicamente contaba con el pizarrón y cualquier cosa que hiciese ahí no tendría ningún sentido. Sentarse en los bancos o en la silla del escritorio era impensable. Se marchó, sólo para darse casi de bruces con la señora Olga, que avanzaba por el pasillo cargando un balde. Evidentemente la crispación de su rostro impresionó a la mujer, que no pudo evitar un gesto en donde se mezclaba el susto, la preocupación, y una lejana incredulidad que al cura le supo como un reproche. A punto estuvo de intentar una breve explicación, mas nada le surgió en los segundos en los que tuvo la oportunidad, y luego ya fue tarde en razón de que siguieron ambos su camino en direcciones opuestas. El padre Juan Carlos estaba turbado por la sorpresa que le produjo la expresión de las facciones de la señora; nunca había creído que él pudiera despertar tales sentimientos. Inclusive lo dominó una cierta aprensión hacia los rumores que la mujer podía esparcir en el barrio. Se volvió a encerrar en la oficina.

¡¿Cómo no recordar?! Estaba tan tenso que tenía deseos de pegar un puñetazo en algún lado; sentía que su paciencia era desbordada por una irritación a la que él mismo empezaba a temerle; bullía en su interior una abrupta inclinación a desahogarse con violencia, a ceder ante el imperativo de cometer una suerte de salvajada; de hecho iba apretando el lápiz que tenía en la mano cada vez más fuerte, hasta que, sintiéndose un poco tonto, lo soltó, sin que por esto desapareciera la amargura que lo embargaba. —¡Dios mío! —se dijo, percibiendo a una parte de sí mismo, de su cerebro, de su persona, de su yo, como a un enemigo que no le entregaba lo que le era imprescindible, lo que le apremiaba tenerlo ya en sus manos, porque él sabía que esto se hallaba en alguna parte de su mente, escondido a los dubitativos tentáculos de su memoria. Algo de él mismo lo chantajeaba, lo odiaba, hasta era posible que en su lóbrego mundo oculto, cuya existencia parasitaria no se hacía jamás palmariamente perceptible, se burlase de él; era bien posible que en su cabeza, en el fondo de su mente, que él casi tenía ganas de escarbar con sus uñas, anidase una turbia existencia que de cualquier manera no dejaba de ser él mismo.

Pensó en Dios; ahora conscientemente y no como mera fórmula, tal como lo había hecho un instante antes. Él habitualmente se resistía a mezclar a Dios en sus asuntos; en parte tal vez por el mandamiento de no nombrar a

Dios en vano, que interpretaba como un necesario alejamiento del Ser Supremo de las menudencias de la vida, y él no podía sino considerar que su vida misma era una menudencia, bien que, contradictoriamente, nada se lo tomaba en poco y se preocupaba hondamente, a veces hasta la exasperación, por detalles nimios de su labor pastoral; pero también porque naturalmente, en tanto su vida giraba en torno a Dios, lo olvidaba, o por lo menos lo olvidaba en lo que a él concernía, y pese a que en las cuestiones ajenas —y no dejaba de decírselo a los fieles— creía que la voluntad divina podía estar siempre presente, en las suyas propias, en razón de que era un sacerdote y no debía abusar sino todo lo contrario, Dios no existía, o quizá, y mejor, era él, siquiera en alguna medida, parte de Dios y a la sazón éste no podía ayudarlo. Mas ahora pensó que Dios podía favorecerlo a él, en detrimento de esa parte de sí que lo perjudicaba. —Dios me va a ayudar —se dijo, sin creerlo verdaderamente. Si antes no había sentido la presencia de Dios cuando de él se trataba —¡tanto que la percibía cuando quería consolar a un feligrés!—, tampoco era diferente en esta ocasión, excepto que por su necesidad quería creer en lo que no creía. Y se esforzó por advertir la cercanía de la voluntad divina, la proximidad de su intervención en el asunto; no obstante sentía más bien el vacío de la soledad, del sino que lo llevaba a tener que arreglárselas con sus propias fuerzas y que lo empujaba a enfrentar la realidad —inerte, inexorable como un gas asfixiante del que intentara librarse a los manotazos— de que dependía del azar, de una casualidad, por la cual recuperara lo que había perdido también casualmente, por un albur que podría no haber sido y fue.

Dos golpes cortos y firmes en la puerta lo interrumpieron. Abrió la puerta con enojo (como antes, juzgó que perdería un tiempo que le era precioso para escarbar en su mente, aunque cuando estaba solo desesperaba sin lograr nada y casi deseaba ser interrumpido, para que, distraída su mente, entregase su rehén), y se encontró nuevamente frente a la señora Olga.

—Voy a comprar ahora las velas, y a pagar a la florería —le informó la mujer sin ningún preámbulo.

El padre Juan Carlos fue asaltado por una incipiente ira que no encontró una razón en la cual montarse y salir a relucir, por lo que se quedó callado.

—¿Me da la plata?

—¡¿No puede ir después?! —casi estalló el cura, a quien, además, lo enfadaba profundamente que la mujer le pidiera dinero.

—Va a cerrar la florería —le contestó la señora con una lógica de hierro.

Sin nada con qué retrucar, el padre abrió un cajón con furia apenas contenida, y le extendió un dinero.

—Tráigame bien el vuelto. ¡Y que las velas sean las que van ahí! —le espetó de manera tajante, intentando una postrer venganza.

El padre Juan Carlos se acercó al Evangelio y dijo:

—El Señor esté con vosotros.

—Y con tu espíritu —contestó la grey.

—Continuación del Santo Evangelio según San Lucas.

—Gloria a ti, Señor.

Con voz clara el sacerdote dio a leer el fragmento del Evangelio que correspondía a la misa en curso. Era la misa vespertina, la más concurrida del día. Leía levantando la vista cada tanto hacia los concurrentes para llamar su atención, para conminarlos a que siguiesen el relato; generalmente acompañaba estas miradas con una entonación especial de la voz, más enfática y perentoria. Cuando terminó de leer besó el Evangelio y dijo:

—Es palabra de Dios.

Volvió al medio del altar y por unos segundos permaneció en silencio. Era en estos instantes vacíos en los que volvía nítidamente a su ánimo la tortura en que vivía desde la mañana. Una sombra fugaz atravesó sus ojos.

—Creo en Dios, padre todopoderoso, creador del cielo y de la tierra, y en Jesucristo su único hijo, Nuestro Señor... —empezó.

Daba la misa temiendo que en cualquier momento surgiese, para su desgracia, una consecuencia horripilante de su olvido, frente a todos los feligreses presentes y sin remedio. Sabía que podía esperar lo peor, un ridículo bochornoso que le costase su carrera eclesiástica.

—Orad, hermanos, para que este sacrificio, mío y vuestro, sea agradable a Dios, padre todopoderoso.

—El Señor reciba de tus manos este sacrificio, para alabanza y gloria de su nombre, para nuestro bien y el de toda su Santa Iglesia.

—Amén.

Durante las oraciones secretas no pudo sino pensar en sí mismo. En lo que le aguardaba.

—Levantemos los corazones.

—Los tenemos levantados hacia el Señor.

—Demos gracias a Dios, nuestro Señor.

—Es justo y necesario.

De repente, mirando la hostia que tenía preparada para la consagración, cruzó por su cabeza que ¡debía encargar hostias! ¡Esta pavada era todo su olvido de la mañana! (no le faltaban hostias para esta misa, ni siquiera para la siguiente). Y lo creyó, lo creyó por unos segundos y mirando con expresión estúpida hacia los feligreses sonrió ligeramente. Aunque en seguida se produjo un quiebre en su disposición de ánimo; se desengañó, no pudo evitar el descreer de tal posibilidad, y poco a poco entonces fue adquiriendo seguridad en un sentido opuesto, bien que con algún dejo, cada vez más débil, de esperanza: era imposible que esa minucia lo haya torturado todo el día.

—...dándote gracias, lo bendijo, lo partió, y lo dio a sus discípulos diciendo: tomad y comed todos de él, porque éste es mi cuerpo.

Y levantó la hostia partida, ya absolutamente incrédulo con respecto a su ocurrencia anterior. Conforme a la desilusión vivida, desesperaba aún más de su situación.

El órgano empezó a sonar, con su solemnidad inevitable, con su sonido mayúsculo. El padre Juan Carlos se acercó con el cáliz lleno de hostias al borde del altar. El joven monaguillo, con la bandejita bañada de plata, se instaló a su lado. Los fieles iban formando una larga cola por el pasillo central a la espera de tomar la comunión. Habitualmente le agradaba repartir las hostias; era el momento en que realmente sentía que le daba algo a sus feligreses; inclusive intuía que para muchos de ellos hubiera sido una frustración que después de esos largos ritos no se llevaran nada, y no participaran, de una manera recatada a la que todos los caracteres se acomodaban, en algo más decisivo y personal que el mero contestar mediante fórmulas, y el pararse, sentarse o arrodillarse según correspondiera. Pero en esta oportunidad estaba muy receloso, casi tenía miedo de darlas.

—El cuerpo de Cristo.

—Amén.

La gente avanzaba y avanzaba hacia él; otros se levantaban de los bancos e iban a engrosar la fila. El padre Juan Carlos colocaba las hostias en esas bocas que se abrían hacia él, en las lenguas que le extendían. El trataba de que el pulso no lo traicionara y muy concentrado miraba sólo las bocas, tal si temiera no embocarlas.

A medida que fue repartiendo una tras otra las hostias, fue naciendo en él una aprensión más definida. Dio en sospechar —y lentamente sus labios fueron adquiriendo un rictus desencajado, y en general sus facciones se enturbiaban y cobraban una expresión macilenta— que esas bocas que se sucedían guardaban el secreto de lo que a él se le escapaba, por lo menos alguna de ellas.

Y él veía las bocas que se abrían y las lenguas que asomaban, unas después de otras, y otras, y otras. Y las miraba cada vez más fijamente, con mayor y loco interés, y en su interior puteaba esas bocas que seguramente, una aunque más no sea, le ocultaban lo que él desesperaba de encontrar.

EL MURCIÉLAGO

Alfredo comía silenciosamente. Sólo sus cubiertos, cada tanto, golpeaban un poco el plato, y el ruido agudo, aunque débil, se escuchaba con nitidez y le provocaba un cierto desagrado; no podía evitar, sin embargo, que sus cubiertos —sobre todo su cuchillo— fueran más lejos que lo que establecían sus deseos. A un costado suyo, en perpendicular a él, Marta comía tan calladamente que ni siquiera producía el más leve ruido de cubiertos. Alfredo, tal como era su costumbre en los últimos años, no la había mirado. Aún le costaba no mirarla. Este deber, que se había impuesto a fuerza de odios inmensos, de recibir desprecio tras desprecio, no le resultaba ya penoso, pero no se había convertido todavía en un reflejo inconsciente, y se descubría de vez en cuando, bien que sólo por brevísimos instantes, con la vista posada en su esposa. Él notaba que ella, por el contrario, no se hacía ningún problema por su presencia, y tanto le daba que estuviera como que no, o mirar para aquí o para allá. El hecho de que la indiferencia de su mujer fuera natural y espontánea y la suya forzada, lo atribulaba, incluso en algunos momentos lo sacaba de quicio; no por el hecho en sí, que no era más que la expresión de un sentimiento que guardaba hacia ella y frente al cual se inclinaba con resignación, sino porque pensaba que su esposa lo advertía, y que al hacerlo se sentía superior a él, en condiciones de imponerse. De alguna manera creía que sólo podría recomponerse la relación si él emergía como vencedor de la imprecisa disputa que mantenían, y desde allí tendía su mano amistosa. Aunque en ocasiones se decía que la disputa casi no existía y que las cosas empezarían a deslizarse hacia una mejoría en cualquier momento sin que mediara ninguna razón especial, tal como había sucedido cuando empeoraron progresivamente sin que atinara a explicarse el por qué. Llegaba a pensar que eso podía suceder con rapidez; unas miradas, una sonrisa por una causa cualquiera que no fuera rechazada, luego —y sentía una suerte de vértigo al considerarlo— una tímida caricia que pareciera accidental, involuntaria; más no se atrevía a avanzar, dado lo distante que iría en relación a la situación actual. En esos momentos él creía que lejos estaban de una disputa, y que a lo sumo los separaba un problema, pero que era éste tan indeterminado que, a los fines concretos, lo mismo valía que se lo tomase como inexistente; por lo tanto la solución, si así se podía llamar, estaba sencillamente al alcance de la mano y sólo bastaba con decidirse y tomarla, aunque debía aguardar la circunstancia adecuada y hacerlo con el tino y la prudencia necesarios. Empero estos pensamientos no le habían servido como guía para la acción y jamás en los últimos años había intentado una amabilidad, sino que por el contrario sólo había actuado, por lo menos en su presencia, de manera de demostrarle que ella no le importaba un ápice.

Alfredo comía maquinalmente. La comida era de su agrado, sin embargo casi no se daba cuenta de que le gustaba; masticaba con regularidad y rapidez, si bien en

63

realidad no quería que la cena terminase pronto. Tomaba agua a grandes sorbos. Únicamente en estos instantes a veces echaba sobre su mujer una mirada adrede, quizás porque gracias al vaso se consideraba a cubierto. No veía más que imprecisamente, aunque lo suficiente como para confirmar lo que imaginaba: su esposa comía con absoluta tranquilidad y desenvoltura. Le dolía pero ya no la puteaba para sí como antes. Depositaba el vaso en la mesa con alguna firmeza y la mente se le ponía en blanco, inerme frente a la situación. Seguía comiendo con esa energía nerviosa que no lograba controlar por completo. Cuando Marta estiraba una mano para tomar alguna cosa, él no podía evitar seguir el brazo con la vista, con una curiosidad irresistible, como si ese movimiento y el objeto que tomara le fueran a revelar el tipo de vida que llevaba su mujer, el secreto de sus actividades, tal vez de sus amores. El intentaba que a su mujer le sucediera otro tanto, y cuando iba a asir algo distante —en ocasiones incluso se levantaba de la silla— pasaba el brazo lo más cerca posible de su rostro. Pero era en vano.

Por la ventana abierta del comedor entraba, apenas perceptible, una brisa cálida. Se oía una radio lejana, en la que habían sintonizado música folklórica. Del otro lado del pozo del edificio Alfredo podía ver, a través de la ventana, un rincón del cuarto del vecino. Llegaba a distinguir la puerta de un placard pintado de rosa y la parte superior de un ventilador que iba y venía. Dada la distancia no escuchaba el ruido del motor; no obstante se dio a imaginarlo. Por un momento se pensó en esa habitación. Era otra persona y no conocía a Marta; más joven y tirado en la cama con las piernas abiertas dejaba que el aire del ventilador lo refrescara. Luego volvió a hundirse en su plato, en el calor. Estaba transpirado; las vértebras cervicales le dolían un poco. Cuando nuevamente levantó la vista creyó ver que un murciélago cruzaba por delante de la ventana. No eran raros y en una oportunidad había ingresado uno en el departamento. Él lo había tenido que echar; asqueado, sintiendo pánico de que se le echara encima, lo había corrido con un trapo, disimulando sus sentimientos, intentando hacer creer que no tenía miedo ni aprensión. Sin embargo, ahora deseó que hubiese entrado; él habría visto en ese murciélago un aliado.

El pollo escaseaba en su plato. Pese a que, como le sucedía siempre durante las comidas, se sentía incómodo, no quería que la cena terminase. Guardaba con respecto a las comidas una esperanza; el cuidado que ponía en sus transcursos para impedir que sus ojos se depositaran en ella le hacía creer que eran los momentos en que había mayores probabilidades de que sucediese algo. La tensión que él sufría mientras comían le desagradaba, a veces lo abrumaba, pero cuando, levantándose de la silla, se disipaba, no sentía sino desilusión.

Al finalizar la cena Alfredo eructó sordamente. Le satisfacía eructar con moderación; probablemente porque quería creer que al ser una manifestación espontánea de su cuerpo atravesaba las defensas perceptivas de su esposa. Marta movió la cabeza con brusquedad y Alfredo se volvió para observarla, ilusionado con haberla molestado, hasta llegó a esbozar un rictus de sonrisa; no obstante se había equivocado, había sido uno de sus movimientos para acomodarse el pelo que le caía sobre la cara. Tenía un cabello lacio, castaño, que le caía casi hasta los hombros y que le invadía la cara con facilidad. A Alfredo le parecía que en ocasiones ella se escondía detrás del pelo, para luego emerger a través de un corto y firme ademán de la cabeza; entonces él supo encontrarse con unos ojos vidriosos, en los que se reflejaba un odio frío; daba la impresión de que el objeto de su odio hubiera muerto.

Pero ya hacía tiempo que no se encontraba con sus ojos.

Se levantó sin convicción, como si estuviera abstraído en algún asunto o si hubiera olvidado de comer algo. Se dirigió al baño y se entregó al lavado de los dientes. Esta costumbre de lavarse la boca inmediatamente después de comer, y de la que ya no podía prescindir, le había sido impuesta por Marta, verdad que no imperiosamente, sino a través de ciertas artimañas: no permitiendo que la besara antes de haberlo hecho, aun cuando no lo hiciera con enojo y por el contrario lo hiciera con una vaga amabilidad coqueta, o hablando mal de los que "andaban con los pedazos de comida entre los dientes". Cuando hubo terminado de cepillarse —y lo hacía con tal vigor que las encías le sangraban abundantemente—, se miró en el espejo. Hacía tiempo que no se miraba con detenimiento y se quedó como obnubilado por un rato; la fijeza de su mirada hizo que su imagen en el espejo se fuera nublando, diluyéndose poco a poco hasta convertirse en una borrosa máscara. Cerró los ojos y parpadeó un par de veces, recuperando una clara visión. Su rostro no le decía nada. No acertaba a pensar en nada. Afuera las chicharras cantaban ahora casi con furia. La persistencia del sonido era agobiante, sólo cada tanto apenas si hesitaba, caía en un ínfimo bache e inmediatamente recomenzaba, siempre en la misma larga y monótona y chirriante nota. Permaneció aún un tiempo más parado frente al espejo. Creía descubrir, a pesar de la vaguedad de su recuerdo sobre sí mismo, que tenía ahora los ojos más saltones. ¿Era posible? En realidad no llegaba a constituir un problema para él; no más que en parte su atención se ocupaba de esto, todavía obnubilada, anegada por el calor y la música de los insectos. En el baño pequeño y cerrado la temperatura parecía ser más alta, sin embargo no estaba a disgusto. Se amodorraba un poco y la cabeza se le aletargaba en una suerte de ausencia que, por lo menos, no le desagradaba. Esforzándose algo, volvió a preguntarse: ¿tendré los ojos más saltones? Pero lo que observaba, comparado con las imágenes que mal que bien guardaba, no le servía para inclinarse ni en un sentido ni en otro. El asunto no le interesaba mayormente y se diluyó, desapareció de su mente, sin que atinara a contestarse.

Se dirigió al dormitorio. Allí, como hacía todos los días, se acomodó frente al escritorio y se puso a ordenar papeles. Entre media y una hora la pasaba simulando que se preparaba para el trabajo del día siguiente. Aparentaba hacerlo concienzudamente, intentando dejar transparentar que muchas cosas importantes dependían de su minuciosidad. De vez en cuando anotaba algo con letra prolija y lo observaba detenidamente, tal si fuera el veredicto de un jurado y no quisiera que por distracción figurara culpable en donde debía decir inocente. En ocasiones leía algo, un texto corto que andaba entre los papeles y que encontraba al azar, cuya lectura le llevaba un largo lapso; las más de las veces al terminar le era imposible establecer sobre qué versaba el escrito. En realidad el tiempo que permanecía en el escritorio no era sino una sutil y sorda tortura, a la que se resignaba por el rechazo que sentía a estar en la cama cuando su esposa se introducía en ella. No faltaron las oportunidades en las que —hastiado de montar los papeles de una forma y de otra, de girar constantemente en torno de las dos o tres cositas, casi sin importancia, que había agendado para el día siguiente— se había quedado absorto, con la vista perdida y la cabeza vacía, vencido por un aburrimiento más fuerte que su voluntad de simular; incluso había sido sorprendido por su mujer en esta actitud, y se ponía tan violento que parecía un colegial pescado en falta; embarazo que se reprochaba luego agriamente ya que se decía que bien podía estar reconcentrado en un grave problema a dilucidar; mas sus reproches de nada le servían para la posterior ocasión.

Cuando su mujer se hubo acostado y la respiración profunda le indicó que ya se había dormido, se levantó y fue a ponerse el pijama. Abrió el portafolios que usaba para ir al trabajo y extrajo de allí un libro; con él se dirigió a la cama. Lo dejó en la mesita de luz y se acostó. Bien cubierto por la sábana —no menos que en invierno con las frazadas—, de costado y de espaldas a ella, permaneció inmóvil por unos momentos, como si considerara algo. Luego se puso boca arriba y casi inmediatamente echó una mirada sobre su esposa. Ella dormía siempre dándole la espalda, y ni siquiera dormida cambiaba de posición. El cuerpo de su mujer, puesto así de costado, le hacía pensar en una cordillera. Por unos instantes volvió la vista hacia el escritorio, temeroso de haber olvidado algún pequeño asunto que tenía que hacer allí, a pesar de los largos minutos en que se estuvo sentado frente a él sin gran cosa para hacer más que pensar; aunque probablemente por esto mismo era que desconfiaba. Pero nada le vino a la mente y retornó a mirar a su esposa. La miraba con un interés reconcentrado y melancólico, bien que, absolutamente informe, indefinido. Se acercó un poco a ella. Dormía profundamente. Muy despacio fue aproximando una mano a su cuerpo, deslizándola entre las sábanas. La detuvo a poco de tocarla. Se acercó otro poco, girando hacia ella. Avanzó la otra mano y dio casi en acariciarla, siguiendo el contorno de la espalda a escasos milímetros de la delgada tela del camisón, a veces apenas rozándola. Llegó hasta la cintura y se detuvo. Dudó. Estaba algo tenso; la mano, si bien ínfimamente, le temblaba. La subió y la bajó por la espalda aun en un par de ocasiones, siempre sin tocarla; y en la última oportunidad la bajó, verdad que escasamente, por debajo de la cintura de ella. De inmediato la retiró, como si temiera que un antiguo reflejo lo traicionara. Se dejó caer nuevamente boca arriba y se restregó los ojos. Por un rato se quedó con los ojos cerrados. Estiró luego una pierna hacia su mujer pero enseguida la retrajo y se quedó quieto. Estas caricias que no llegaban a ser tales eran ya casi una costumbre arraigada en él, en la que —por mucho que se ponía nervioso y que trataba de erradicarla de sí— se sentía cada vez más confiado.

Todavía no tenía sueño. Hacía años que le costaba conciliarlo, más aún en las noches de calor. La sábana se le pegaba al cuerpo transpirado. La piel del pecho le picaba en algunos lugares, aunque la picazón se le corría en cuanto se daba a rascarse. Afuera las chicharras seguían cantando, pero él ya no las escuchaba. Tomó el libro que había dejado sobre la mesita de luz y, después de mirar por unos momentos la tapa, se entregó con cierta dubitaciones a la lectura. Empero, a poco que encontró unos versos que le agradaron se fue entusiasmando. No era poesía contemporánea, y el autor —ya muerto, creía, hacía años— había mezclado unos poemas meditabundos, oscuros, con otros más claros y románticos; éstos eran los que le atraían. En el transcurso de la lectura empezó a murmurar los versos para sí, y el efecto de su voz, un poco silbante pero firme, hacía que las palabras le parecieran más emocionantes. Escuchaba su voz casi como si fuera la de otro, y leía al ritmo que hubiera creído adecuado de estarse dirigiendo a otra persona, tal si estuviera leyendo en voz alta en el colegio para ser calificado por la profesora; y extrañamente, al someterse a las normas que supuestamente regirían la correcta lectura, disfrutaba más que cuando leía en silencio y a su mero capricho. De manera vaga intuyó que se debía a que de esa forma, oralmente, no podía escaparse de los versos, y que éstos se hacían implacables y no dejaban resquicio para ser pensados o tamizados o, de algún modo, rechazados. Poco a poco fue subiendo el volumen de su voz, aunque no en demasía. Las palabras le sonaban así aún más gratas y definitivas. Miró a su mujer. No temía despertarla, ya que no hablaba tan fuerte como para que ello sucediera, y por el contrario, se le ocurrió que esos versos podían llegarle al inconsciente y hacer variar su conducta, incluso a pesar de ella. Se acercó a Marta y bajando la voz, quizás impostándola algo, siguió leyendo. Deseaba contenerse e impedir que en su lectura se trasluciese un sentimiento amable o devoto, pero no lo lograba y en ciertas palabras el énfasis puesto traicionaba una leve emoción; a la que no podía evitar en razón de que verdaderamente creía estar influyendo en su mujer, y la esperanza —que en el fondo de sí consideraba descabellada— de que esos versos cambiasen su carácter y sus sentimientos hacia él en alguna medida lo desbordaba. Le leyó a su esposa dormida dos o tres poesías y se detuvo. De repente había cruzado por su cabeza la idea de que lo que hacía podía ser tonto e inútil. Y puesto a pensar temió también que ella, de una u otra forma, se enterara de su lectura, tal vez a causa del recuerdo que aun dormida se formara en su mente. Se quedó mirando las letras de molde, las que paulatinamente perdían nitidez. Dudaba, pero ni siquiera llegaba a plantearse el problema con claridad y el desgano lo iba ganando. Era la primera vez que le leía algo mientras ella dormía, y de alguna manera, muy incierta, se decía que debía ser la última. Vinieron a su pensamiento unas palabras que le habían sido dirigidas por su hermana el día anterior en relación a Marta, en las que creía percibir, tras el infaltable reproche, un mensaje enigmático y alentador que no llegaba a descifrar. Su pensamiento se deslizó y recordó unos insultos muy hirientes que él le había espetado a su hermana cuando eran chicos; luego una escena en la que era increpado por un amigo de sus padres por haberle tirado a ella del cabello; él, todavía con los pelos en la mano, había negado enfáticamente haberlo hecho. Por un largo rato vio, como si fuese una fotografía, su mano de pequeño con los pelos adheridos, que incluso enarbolaba estúpidamente. Después se durmió.

Al día siguiente, al despertarse, Alfredo descubrió el libro a su lado. Se asustó. Pensó que no sería difícil que ella —quien se levantaba antes y ya se había marchado— hubiera sospechado lo sucedido. Por unos segundos se hundió en la desesperación. Arrojó el libro sobre la mesa de luz y se levantó. Iba a ir al baño, pero se arrepintió. Se quedó parado, mirando la cama. Rápidamente su temor de haber sido descubierto se desvanecía y era reemplazado por un sentimiento opuesto. Volvió a tomar el libro mientras se decía que no había razón para que ella sospechase nada. Posiblemente ni siquiera había advertido que era un libro de poesía, y aunque lo hubiese hecho ¿de dónde sacaría que él le había leído unos versos? Guardó nuevamente el libro en su valija de trabajo y, más tranquilo, se dirigió al baño.

Cuando orinaba se le ocurrió una posibilidad todavía más optimista; complacido, pensó que su mujer, al ver el libro de poesía, pudo atribuir su romanticismo a un hecho que tal vez no dejara de sorprenderla: estaba por fin enamorado de otra mujer. Como le sucedía a veces apretó el botón a destiempo, prematuramente, y tuvo que forzarse a terminar de orinar antes de que el agua dejase de correr.

El teléfono

La incierta luz del anochecer —con el sol cayendo del otro lado del edificio— entraba sin fuerzas por la ventana. La mesa, de un blanco grasiento, apenas si proyectaba una débil sombra sobre la cama, en las piernas de Luis. Tirado sobre la colcha floreada —de cuyo dibujo él no podría dar testimonio— Luis miraba con la vista algo perdida los arcos que formaban las maderas bajo la mesada. Desde donde estaba, casi eran puentes tan respetables como los que pudieran verse desde la orilla de un río. Pero no había pensado en esto —poco menos que una costumbre en él— más que unos instantes. Se estaba muy quieto, con el cuerpo estirado cuan largo era, intentando cavilar. Sentía por primera vez la existencia del edificio, de todo él o al menos de gran parte; podía abarcar su presencia, admirarse de sus enormes dimensiones. Piso tras piso, para arriba y para abajo, los largos corredores, las innumerables puertas; y detrás de ellas las habitaciones ocultas. Recién cayó en la cuenta, pese a que llevaba más de un año y medio en el departamento, que ignoraba cuántos departamentos había por piso. Barruntaba que serían más de diez, tal vez doce. Intentaba recordar hasta qué letra llegaba el panel atiborrado de botones del portero eléctrico, pero no podía precisarlo y por momentos creía recordar la letra "N" como por momentos estaba seguro de que no existía la letra "L". El suyo era el "F" y estaba ubicado poco más o menos a mitad de pasillo, cerca de los ascensores, aunque no consideraba que esto fuera algo definitivo, ni siquiera muy importante, ya que no tenía ninguna certeza en relación a la simetría del edificio. El pasillo hacia los dos lados doblaba en ambas direcciones, y por mucho que él supusiera que formaba algo así como dos "T" iguales unidas por la base no dejaba de pensar que esto era un simplificación suya y que la realidad podía ser otra.

El de él era un departamento de un ambiente de módicas dimensiones, con una cocina y un baño minúsculos, en donde entraba incómodamente una sola persona. Claro que Luis no se quejaba, muy por el contrario, penaba por quedarse allí, y si en este atardecer cavilaba en su cama era justamente para dar con el medio de saldar la deuda de alquiler que había acumulado. De no hacerlo sería desalojado en unos días, seguramente en no más de una semana. Luis se urgía a sí mismo hacer algo para impedirlo; constantemente se recordaba que no debía permitir que su mente se deslizase hacia otros asuntos y desatendiese éste que era tan importante para él. Y si de cualquier modo en alguna medida divagaba, era a causa del poco provecho que obtenía de su persistente girar en torno del problema; se angustiaba, incluso porque creía que debía angustiarse, mas, inmerso en este impreciso sentimiento de conmiseración por sí mismo, temor y rebeldía, no acertaba a encontrar un atisbo de solución (a uno lejanísimo que vislumbró apenas durante unos instantes se negó a considerarlo). No le quedaba más remedio que aceptar que en unos días, implacablemente, tendría que hacer sus valijas e irse. ¿A dónde? Todavía no lo quería pensar demasiado, en parte porque significaba rendirse, en parte porque era también un dilema que casi le daba náuseas; aunque suponía que, antes que dormir en la calle —posibilidad heroica a la que consideraba con idéntica intensidad tanto una prueba incuestionable de su fracaso personal como una mancha horrenda para el mundo, de la que sería consciente (el mundo) en el futuro, cuando de una u otra forma habría de pedirle perdón—, iría a casa de un amigo. En realidad sólo tenía dos, y, pese a que creía que algún cariño le guardaban, estaba seguro de que habría de serles muy fastidioso que se instalase en sus casas. A uno porque estaba casado, al otro porque no estaba casado.

Entre las divagaciones que se le hacían inevitables, el perderse en las dimensiones del edificio era con mucho la que con más frecuencia lo absorbía. Ésta, claro, no tenía para él ningún objeto y hasta se dijo en algún momento que lo lógico hubiera sido que se interesara por el edificio cuando llegó al departamento y no ahora que estaba por irse. Se ocupó incluso de aquellos a quienes poca atención les había prestado: los vecinos. Y si no había pensado mucho en ellos era porque básicamente les había atribuido a todos un desganado, casi inconsciente, desprecio hacia su persona, y con esto le bastaba. Él actuaba con humildad frente a todos ellos ya que no deseaba despertar enconos, y más bien quería pasar desapercibido, ser ignorado. Deseaba que ellos actuasen —y pensasen— como si él no existiese, como si el departamento estuviera vacío, excepto esos encuentros fortuitos en los pasillos o el ascensor en donde, a veces, no queda más remedio que saludar aunque sea lacónica y maquinalmente, y aun así si podía los evitaba. Los vecinos eran para él los que habitaban el mismo piso; al resto de los habitantes del edificio los consideraba tan extraños como a la gente que cruzaba por las calles. Inclusive así no estaba seguro de que la mayor parte de sus vecinos lo reconociese, como él no estaba seguro de recordarlos más allá de los cuatro o cinco departamentos más próximos.

Pensó si cabía la posibilidad de que alguna vez dos vecinos suyos hubiesen hablado entre ellos de él. La posibilidad le parecía bastante remota, sin embargo no la descartó en la medida en que estimó que un personaje insulso, precisamente por esto, porque por largo tiempo se lo ignora y de repente se lo "descubre", puede en determinado momento convertirse en la delicia de dos chismosos, para quienes el gris personajillo guarda secretos fácilmente adivinables. Él, por ejemplo, tenía granos; imaginó que a causa de esto le habían atribuido el ser un onanista, un oscuro joven sin mujer que se pajea de manera oscura, grosera, tan aceitosamente como se erigía ante ellos su cara. O puede también —consideró— que criticaran sus costumbres: su noctambulismo, el descuido en el vestir, sus misérrimas bolsitas de basura a veces agujereadas. Aunque en verdad no creía que sus vecinos se ocuparan de él; por unos instantes incluso le pareció imposible. En última instancia, él deseaba que no le importara la opinión de sus vecinos; pero las pocas veces que había pensado en ellos se había visto frente a un problema, frente a algo preocupante. Cotidianamente, si se encontraba con alguno, se apreciaba en cierta medida como un intruso y, sobre todo en el ascensor, se sentía incómodo por apropiarse del espacio que ocupaba, pero en seguida se olvidaba y otras cosas rondaban su cabeza.

Él se iría —continuó, no obstante— y los vecinos sabrían de su deuda, del desalojo, tal vez les llegara alguna de las menesterosas reacciones que tuvo durante el juicio. Pero si se iba ya tendría otras preocupaciones. ¿Creía realmente que sin remedio habría de marcharse? Éste —concluyó en algún momento— era su problema: no creía en el desalojo, como no se cree en las desgracias futuras por muy inexorables que sean; por ende actuaba como si no fuera a suceder, y por mucho que se impusiera el creerlo —vale decir, que se sintiera ni una pizca menos desamparado y menos castigado por la puta vida que cuando se encontrara con las valijas en la puerta del edificio— no lo creía, o por lo menos no creía en la medida que le era necesaria para actuar y hacer algo para evitarlo. Por unos segundos cruzó por su cabeza la idea de que las imágenes del edificio que lo frecuentaban en ese día, constituían una suerte de mensaje velado que se hacía a sí mismo, en donde podría descubrir la solución a su dilema. Irguiéndose un poco en la cama, apoyándose en el codo, volvió a hundirse en los largos pasillos, esta vez adrede y levemente ilusionado. Pero mientras lo hacía ya brotaba en él el escepticismo; sin un asidero para su idea, ésta se fue desbarrancando a poco que hurgó en ciertos elementos que pudieran ser una clave: las largas longitudes, el matafuego, el ascensor, la sucesión de peldaños.

Miró por un rato las patas de la mesa. Las miraba y la vista se le perdía un poco, y entonces la pérdida de nitidez le hacía ver unos pilotes robustos, firmes, anclados en la tierra. Si pestañeaba volvía a ver las patas de la mesa, a las que él sabía descoladas y titubeantes. De repente se dijo que tenía que pedirle plata prestada a su padre. La idea lo sorprendió, o por lo menos, se representó ante sí mismo, mentalmente, la sorpresa, como si, verdad que sin planteársela jamás, no hubiera anidado en el fondo de sí desde tiempo atrás. La presencia repentina en su ánimo de una solución con ciertos contornos definidos lo excitó; se incorporó y se sentó encogiendo las piernas, se sentía en parte contento y en parte atribulado. —No podría rebajarme tanto —se aseguró, sin darle demasiada importancia a sus palabras. El aparecer ante su padre después del tiempo transcurrido para pecharlo y en una situación de indefensión y de necesidad tan absolutas, lo escocía, casi lo asqueaba, pero no dudaba de que lo llamaría. Es más, consideró que su padre se la prestaría, porque así quedaría evidenciado ante ellos dos, ante la familia, ante todas las relaciones que conociesen los hechos, que él, Luisito, era una porquería, ya que al pedir el dinero renunciaba a la parte de razón que había tenido en las peleas con su padre, la que —ya en el abstracto de lo inservible— había podido ser incluso, y por bastante, la parte mayor. Él podría esgrimir entonces los argumentos más irrefutables para demostrar las culpas de su padre que no le servirían para nada; la gente que los escuchara apenas si les prestaría atención y no les daría ninguna importancia, ya que en sus cabezas se habría instalado una realidad difícilmente horadable; algo parecido a lo que sucede con los políticos cuyas ideas son contrarias a las que se hayan en boga, que cuanto más contundente y maciza es la verdad que expresan más se ganan la inquina del electorado.

—¡Es un viejo de mierda! —se dijo unas cuantas veces, un poco por el odio que le daba llamarlo y pedirle plata, un poco para confirmar que sus ideas seguían intactas y que, aunque sea para él, no sufrirían gran mella—. ¡Qué se vaya a cagar! —espetó en una ocasión, mascullándolo con rencor entre los dientes, al tiempo que se apretaba con fuerza un pulgar entre los otros dedos de la mano y por unos instantes se convencía de que no lo llamaría. Se volvió a tirar en la cama, dejándose caer de costado con la fuerza de su peso. Dio a suspirar con fastidio mientras su mente permanecía confusa; sin embargo no tardó en preguntarse si no sería mejor plantearle el asunto personalmente, llevado por la creencia general de que el cara a cara favorece a quien peticiona. Pero se aseguró que no, que en su caso no podría resistirlo, que arruinaría todo, que por teléfono le sería mucho más fácil.

Y a pesar de que se impuso el hacerlo de inmediato, no tomó el teléfono sino después de un rato, en el que se estuvo inquieto, paseando la vista de aquí a allá con un nervioso cosquilleo en la boca del estómago mientras intentaba cobrar valor. Acostado, colocó finalmente el teléfono arriba de su pecho. Depositó una mano en el tubo; no obstante ahí se detuvo. Luego de dudar unos segundos la retiró. Miraba el disco transparente y agujereado y los números negros impresos sobre el papel blanco. Se decía, de la manera indefinida en que generalmente uno se dice las cosas, que podía esperar, que no era necesario precipitarse, que se encontraría frente a la voz de su padre sin saber cómo encarar la cuestión, que bien podía tomarse un tiempito para planearlo.

El teléfono subía y bajaba con cada inspiración y expiración. Lejos de planear algo, su mente se fue deslizando, apartándose lentamente del asunto de la petición; recordó el auto que tuvieron cuando él era chico, el tapizado beige, el volante jaspeado con la bocina metálica en el centro, vagamente la vereda de su casa, una nena vecina que una vez llevaron de paseo y a la que el padre, al cerrar la puerta del auto, casi le arranca la cabeza. Después pensó en una compañera de trabajo, que trabajaba en realidad en una oficina bastante alejada de la suya y que veía poco, pero de la que estaba algo enamorado. Se hacía ilusiones con ella, aunque la posibilidad de que intimasen, dado lo escaso que se veían y lo aún más ocasional del trato (cuando ella entraba a la oficina usualmente se dirigía a Peña, ya que necesitaba un recuento de stock), era muy lejana; empero, como en el fondo, y mal que le pesara, consideraba que el final sería el mismo, la practicidad o no de las esperanzas que abrigaba, la mayor o menor distancia que lo separaba de su realización, lo tenían sin cuidado. Otra compañera de trabajo, por ejemplo, de la que no le apartaban más que dos escritorios, y que sin ser muy linda no era fea, no llamaba su atención y menos aún desde que había visto a la otra.

Con el teléfono pesándole en el pecho, Luis cerró los ojos. Parecía dormitar. De vez en cuando discurría: —Le voy a decir, "necesito algo de plata por una contingencia que me agarró desprevenido y..." —después perdía el hilo concreto pero juzgaba que tenía que seguir con ese tono de cosa sin importancia y accidental, de contingencia desgraciada que nos impele a un pedido que no quisiéramos efectuar pero que es lógico y natural, como si ante una tormenta pidiéramos un paraguas. De alguna forma sabía que al padre tal tono le parecería ridículo y haría cualquier cosa para impedírselo, hasta temía un poco que se pusiera sarcástico, mas si no hacía eso lo otro era mendigar, implorar, caer en la voz quebrada, quejumbrosa. Abrió los ojos e irguió la cabeza. El teléfono se inclinó una pizca hacia un lado. Lo miró con rencor y algo de extrañeza. El cable enrulado caía a un lado de su cuerpo; le rozaba la camisa. Siguió con la vista, sin interés, la curvatura del tubo y luego el cable que caía. Poco faltaba para que fuese noche cerrada. La habitación se iba poniendo penumbrosa.

Volvió a recordar a la muchacha del trabajo. La veía de lado mientras se alejaba, caminando hacia la puerta tras la que desaparecería por varios días. Llevaba unos pantalones blancos y un pullover o una polera —no recordaba con exactitud— que tiraba al naranja. Su hermana había tenido un pullover parecido; incluso no había olvidado que él en una ocasión se lo había puesto. Fugazmente pasó por su cabeza la certeza de que no hacía bien al dejar que el tiempo pasara y pasara sin que se decidiera a llamar a su hermana; ella seguramente ya se había cansado de llamarlo, y no lo había hecho mucho. Luis sabía que en el fondo no le perdonaba a su hermana (él, que se apreciaba a sí mismo como un pajero boludo, no se daba derecho a juzgar pero sin embargo lo hacía) que pesara sobre ella su sospecha de que se había dejado coger por el padre. Él nunca había podido confirmar su sospecha; es más, sus sospechas no tenían fundamentos que pudieran ser transmitidos a alguien, vale decir, no existía objetivamente nada más, o casi nada más, que su sospecha. Para él, aun era suficiente, y lo había sido durante mucho tiempo, inclusive para quedarse despierto durante largas horas en la noche, intentando descubrir a su padre deslizándose hacia la pieza de su hermana. Infinidad de preguntas lo habían asaltado en esas horas, en las que leía o —más beneficioso para permanecer despierto— escribía: ¿su hermana se dejaba con gusto?, ¿si casi la violaba por qué no gritaba?, ¿la amenazaría?, ¿desde cuando sucedería?, ¿cómo era el padre tan astuto —a pesar de lo lelo que era para otras cosas— para que él, que estaba tan alerta, no lo descubriese jamás? A veces, en las mañanas, cuando su padre estaba de buen humor y su cara colorada adquiría un gesto complaciente, a él lo dominaban verdaderos accesos de odio y, sin poder demostrarlo, reprimiendo toda manifestación, se decía para sí: "¡Hijo de puta, te cogiste a la Pinina; ¿cómo no vas a estar contento?! ¡Mierda!, ¡basura!", e insultos por el estilo.

Luis llegó a tantear a la hermana en busca de una confirmación que casi no necesitaba. Había extremado el esfuerzo por hacerlo con tacto, para que su hermana no sospechase que él barruntaba todo. Pero fue tan lejos en su disimulo, abusó tanto de las vías indirectas que, por mucho que su hermana contestó sin reparos aparentes todas sus preguntas, en realidad no obtuvo nada. En buena medida deseaba provocar en su hermana —acercándose lentamente al nudo de la cuestión— una abrupta y desesperada confesión del horror que vivía, una crisis de llanto; entonces él se enfrentaría furiosamente al padre y aun en un arrebato de ira y de rabiosa sed de venganza lo mataría. Como la hermana no sólo hablaba con él sin demostrar el más leve trauma ni la menor aprensión, sino que tampoco en sus actitudes del diario vivir —y Luis la observaba atentamente— transparentaba perturbación alguna, acabó por concluir que ella disfrutaba con las vejaciones del padre —llegó a pensar que en las noches su hermana lo esperaba con ansias—, y dio en aborrecerla, al menos por momentos.

Estirando el brazo hacia atrás, prendió la luz del velador. El ruido del tránsito empezaba a acallarse. —Ya es hora de comer —se indicó. Todos los días, alrededor de las nueve de la noche, se recordaba el horario de la cena, aunque desde que vivía solo comía a cualquier hora, a veces después de medianoche, y a veces no comía. El disco del teléfono reflejaba la luz de la bombita. Luis lo miraba con un gesto indeciso en el rostro. —Lo llamo — murmuró resueltamente. Sin embargo no se movió. Afuera, muchos pisos abajo, en alguna parte, se produjo una frenada y encima de ella sonó un bocinazo. Luis torció la boca en un par de oportunidades, como si hiciera la seña de un siete fuerte. Levantó después las cejas; parecía que estuviera analizando algo que le provocaba cierta perplejidad; bien que, no especulaba sobre nada en particular y más bien tenía la mente casi en blanco. Se dejaba estar. Miraba el módico pedazo de noche que se veía a través

81

de la ventana; miraba un cuadro marino que colgaba de la pared por encima de él; miraba los bajos de la mesa. Por unos segundos lo abordó el deseo de levantarse, pero sin poder precisar el objetivo de tal acto y aplastado en la cama por el teléfono, renunció a hacerlo. Vino a su memoria, de pronto, una chica muy linda que vio en la parada de uno de los colectivos que en ocasiones tomaba. De esto hacía cinco o seis días. Se figuraba que era posible verla de nuevo; posibilidad que apreciaría más probable si fallaban sus planes —de los que en realidad carecía— con la otra. —¡Capaz que el guacho piense que me gasté la guita en tipos! —se adujo, afligido, repentinamente. De vez en cuando había imaginado que su padre lo tenía por homosexual, o por lo menos recelaba algo en ese sentido. No obstante, se serenó al considerar que, aunque lo pensase, no se lo iba a decir y no iba a hacer al respecto ninguna mención, no por consideración a él (Luis), sino por sí mismo, porque una cosa era que la idea anidase en su cabeza y otra era expresarla, de tal modo que adquiriera un grado de realidad mucho mayor. El teléfono le pesaba en el pecho, casi empezaba a extrañarse de su peso. Le echó una mirada perpleja, disgustada.

Si su padre tenía esa idea, ¿qué podía hacer ahora? Nada y... por un instante pensó en que si tuviera una novia le podría mandar una foto, empero en seguida se enojó consigo por especular con cosas tan miserables y ponerse en la posición de tener que demostrar algo, a lo que no estaba obligado ni mucho menos. —La plata —fue una respuesta que hizo eco en su cabeza aunque él no se hubiese preguntado por la causa de su idea. —Por la plata, por mucho que después me arrepienta, se me ocurre la peor mierda. —Pero siguió pensando que si salía con la chica del trabajo, que era tan hermosa, le podría mandar unas fotos a su familia; y todos se quedarían en parte admirados, sorprendidos, en parte consternados por lo que le hicieron. Hasta no era difícil creer que su padre, con su tonta cara colorada y una sonrisa entre ingenua y vanidosa, la mostrase en el trabajo, más ahora, que era gerente. ¿Cómo había triunfado su padre?, ¿cómo había trepado? No lo podía entender, no le veía ninguna cualidad para ser gerente; no era adulador, ni inteligente, ni un severo cumplidor, ni siquiera poseía una simpatía consistente; no tenía tampoco mucho estudio ni devoción por el trabajo, ¿cómo había triunfado? No le quedó más remedio que despreciar a la empresa, y la despreciaba tanto como a su padre. De cuando en cuando dudaba de su capacidad para juzgarlo, o más bien, de la persona que sería su padre en el trabajo, si, tal vez, coincidía en poco con la que él conocía, pero en definitiva descreía de que pudieran ser muy distintas y se aferraba a su menosprecio por la empresa.

Por encima de la figura del teléfono veía, colgando de la pared entre la puerta del baño y un placard, un loro muy colorido hecho en madera que servía para colgar llaves. El ojo del ave, grande y oval, parecía observarle con una curiosidad vacía, animal. Luis conjeturó que su padre ni siquiera necesitaba prestarle plata para demostrar que tenía razón, ya con el puesto de gerente —obtenido hacía unos siete u ocho meses como corolario de una buena carrera— lo había hecho con creces, más aún si se tenía en cuenta su miserable puestito, cuyo sueldo no cesaba de depreciarse, hasta llevarlo a la lastimosa situación de no poder hacer frente al alquiler. Y si bien, ante los demás, tenía el atenuante de que él despreciaba manifiestamente el dinero, ante sí no le servía demasiado, porque, despreciándolo en parte, aspiraba a tenerlo en abundancia, y con esto, obteniéndolo sin perseguirlo especialmente, su logro adquiriría un doble valor y haría evidente su supremacía, su talento particular. Las vías indirectas y tortuosas que había elegido sólo llegaban al dinero a largo plazo, y aun así muy de caso en caso, y por mucho que él había creído —y bastante había hecho para ello— que podría ser una excepción, una suerte de elegido, lo cierto es que estaba lejísimos de cualquier dinero que no fuese su sueldito, y empezaba a desilusionarse de sí mismo. Por el contrario, su padre, con su cara redonda, rojiza, simple, debía ganar como quince veces lo que él, y muy probablemente —quizá su padre se lo dijera luego de averiguar cuántos eran sus ingresos— a su edad ya ganaba varias veces su salario. No muy diferente era lo que le sucedía con dos amigos, antiguos compañeros de colegio que habían avanzado en los estudios de manera penosa, copiándose de él, parasitándolo, y que ahora lo pasaban a buscar en auto y actuaban delante de él con natural superioridad, haciendo visible que jamás, jamás, se les ocurriría plantearse si cometían una injusticia o un yerro al tenerlo en menos, tan seguros estaban —y Luis en buena medida también lo estaba— de que el dinero que hacían llegar a sus bolsillos les daba preeminencia, a pesar de que él supiera a orillas de qué mar se encontraba la ciudad de Helsinki y ellos ni siquiera sospecharan de que existiera una ciudad con ese nombre. Apoyando ligeramente el mentón en el pecho, retornó a observar el teléfono por largo rato.

Al tiempo, notó que se apagaban simultáneamente las luces de tres ventanas contiguas de un edificio cercano. El hecho le llamó la atención por un momento, luego se dijo que contaban con una llave común a las tres habitaciones o que habían cortado la luz de todo el departamento. Imaginó un matrimonio de cuarentones que se iba de viaje, y que ahora caminaban por el pasillo de salida a oscuras, y que él, casi simulando con un chasquido que era un accidente, le tocaba una teta. En seguida se argumentó, sin embargo, que lo lógico era dejar abierta la puerta del departamento y prender la luz de los pasillos antes de cerrar la llave general, y el asunto perdió todo interés. De nuevo volvió a detener la vista en el teléfono. Ya ni siquiera se sentía capaz de tocarlo. Se preguntó qué haría con ese teléfono enquistado en su pecho. El peso del aparato le era cada vez más molesto, al punto que comenzaba a serle intolerable. Su presencia delante de su cara le resultaba odiosa. Cerró los ojos y se fue sumergiendo en un letargo superficial, resignado. Aunque breve, ya que la sosegante pereza mental fue fácilmente aguijoneada por una inquietud: ¿era un hecho que había renunciado a llamar a su padre? Se inclinaba a creer que no, que inclusive le quedaban días por delante, que...

Faltaba poco para la una de la mañana. El ruido de la ciudad había disminuido en tal medida que escuchaba su propia respiración. La frustración por no haber llamado al padre, por no haber decidido que no lo llamaría, era un resabio que se diluía en su ánimo. Angustiado, se preguntaba cómo podría arrancar de sí ese teléfono. Se reprochaba con quejosa vehemencia ora el haberlo colocado encima suyo, ora la impotencia para sacarlo. Durante ciertos lapsos se aducía una y otra vez: "no es más que levantarlo", pero no movía un brazo; o, "es liviano", como para darse ánimos, como para convencerse de que el peso que le oprimía el pecho no era tal. Acabó por creer que sólo podría deshacerse de él si se levantaba y lo arrojaba fuera de sí, empero parecía temer que aun así quedara incrustado en su pecho. Cada vez se convencía más de la imposibilidad de sacar de allí el aparato. No se movía más que para respirar; estaba casi inmóvil. La pantalla del velador había quedado levantada, por lo que las patas de la mesa proyectaban su sombra hasta dentro de la cocina Se llegaban a recortar también algunas formas del baño, el perfil de la pileta, la punta del inodoro. Afuera, las luces que él pudiera divisar del edificio cercano se habían apagado hacía tiempo.

HOBERMEISTER

El señor Hobermeister, ingeniero-jefe de la fábrica, llegaba muy temprano en las mañanas y, como primera actividad del día, revisaba concienzudamente su agenda. Tuviera anotado en ella más o menos recordatorios, se demoraba siempre el mismo lapso, tal vez con la pretensión de mostrarse metódico. Luego descorría aún más los cortinados, para que no le quitaran ni un ápice de la visión que tenía, a través de los amplísimos ventanales de su oficina, de la planta, en donde una única, inmensa, blanca, inmaculada máquina se extendía por más de cuarenta metros. El señor Hobermeister miraba desde allí arriba como si se hubiera acostumbrado al orgullo de hacerlo, con una abúlica e indiscernible complacencia. Su rostro se mantenía inalterado, mudo; sólo podía adivinarse que la mirada era llevada por la voluntad y que ésta —acicateada a su vez por un deseo, aunque avejentado, todavía firme— no era poca. Se hubiera dicho que miraba para asegurarse que todo estuviera en orden, o incluso, para aquilatar con sus ojos la gran maquinaria a su cargo, y que la carencia de vivacidad se debía pura y exclusivamente a lo rutinaria que era aquella mirada, a lo cómodo que se hallaba ya su cuerpo en el desempeño del puesto que él ocupaba. Tendiera o no hacia un objetivo, se estaba un buen rato mirando, mudando de vez en cuando de lugar, dando la impresión entonces de que cambiaba de ángulo para observar con mayor eficacia. Volvía después a su escritorio y, con la cara más expresiva —es decir, permitiéndose alguna mueca—, revisaba papeles. Nunca firmaba nada antes de que transcurriesen cerca de dos horas —aunque la firma estuviese decidida desde el día anterior—, a causa posiblemente del miedo, tal vez a tomar, irreversible ya, una determinación, tal vez a carecer, en esas primeras horas de la mañana, de un pulso preciso, o tal vez a que se pensara que se precipitaba. Lo cierto es que leía y apartaba papeles que más tarde, antes de firmarlos, se sentía en la obligación de releer por completo.

El día del señor Hobermeister, pese a sus graves responsabilidades, hubiera sido apacible de no mediar un asunto enojoso, al cual no le encontraba solución. Víctor, un operario de la sección de ensamble, tenía a su cargo tres tareas: una, vigilar la temperatura del estaño que se usaba para soldar, la que le era indicada a través de un visor digital (en años no había indicado nada que no fuera lo correcto); otra, guiar un instrumento de corte para realizar una incisión en una banda de material aislante, tarea que no le insumía más que unos diez segundos, en la que mostraba la habilidad media de un operario de cierta experiencia, y a la que debía abocarse cada seis o siete minutos; la tercera, estar atento a una luz roja que se hallaba en la parte superior izquierda de su tablero; cuando esta luz se encendía era señal de que la turbina se había calentado en exceso, y él debía apretar un botón verde que estaba inmediatamente abajo de la luz, el que habilitaba la circulación de un líquido refrigerante. He aquí, el problema del señor Hobermeister: Víctor, por alguna razón, nunca apretaba el botón. Las consecuencias de esto podían ser harto peligrosas; la turbina recalentada estallaría finalmente y con ella se destruiría irremediablemente gran parte de la valiosa maquinaria; hasta era probable que varios resultasen heridos. Claro que antes de que sucediese esta desgracia, sonaba una alarma en la oficina del señor Hobermeister y éste salía despedido hacia donde estaba Víctor, bajaba la pequeña escalera en un instante, y, a paso vivo, casi trotando, recorría la treintena de metros que lo separaba del operario. Furioso, lo conminaba a que apretase el botón; cosa que Víctor hacía sin hesitar, siempre dolorosamente sorprendido de que la luz estuviera encendida y él no lo hubiese advertido. Sucedía esto dos o tres veces al día, y el ingeniero Hobermeister no encontraba la forma de ponerle remedio. Las más de las veces le gritaba a Víctor los insultos más hirientes que le venían a la mente, en parte porque se salía de las casillas, en parte porque creía que tocaría la fibra del orgullo del operario y a la sazón, éste, rebelado contra su desidia o lo que fuese que le impedía ver la luz, habría de poner los cinco sentidos en su tarea y acabaría por percibirla. Víctor callaba ante los improperios y, con la boca entreabierta, fijaba la vista en algún punto cercano y bajo. En ocasiones, este porfiado silencio encolerizaba más al señor Hobermeister, quien le ordenaba sin miramientos que contestase una pregunta que le hacía, pero Víctor sólo respondía si podía hacerlo con monosílabos y no había modo de sacarle dos palabras juntas. Al señor Hobermeister le era dificultoso en grado sumo aceptar que ese obrero, de figura algo desgarbada y que bajo sus insultos se encogía con expresión estúpida, le causara tantos problemas. El verse sumido en la impotencia de no poder hacer variar su actitud, su mutismo, su aire entre lelo y ausente, lo indignaba aún más que la misma falta. En consecuencia, buscaba herirlo de la peor manera, con una crueldad absoluta, en ciertas oportunidades al borde de una loca ira; sin embargo no lograba demasiado, como mucho Víctor cambiaba la postura de su cuerpo, moviéndose en el taburete con lentitud, pero jamás variaba, ni mínimamente, su disposición hacia él.

Otras veces, como resultado de las reflexiones a las que se entregaba en torno del dilema, intentaba encontrar las causas por las que Víctor no veía la luz; inquiría acerca de las costumbres y los modos de hacer su trabajo, pretendía razonar con él; le daba consejos, le indicaba claramente cómo debía efectuar su tarea; en ocasiones incluso con fervor, creyendo casi que lograría su propósito y podría sacarse de encima esa cruz; en ocasiones sin entusiasmo, solamente porque se creía en el deber de hacerlo y sabiendo que de nada serviría. Con respecto a las causas de esa suerte de ceguera, el señor Hobermeister, luego de descartar problemas de visión tras mandarlo a dos oculistas, había especulado en derredor de muchas y de las más disímiles; había creído en una abismal malicia del obrero, así como en una increíble sensibilidad a la que él había herido, apabullándolo con sus arranques coléricos al primer yerro; hasta tuvo a bien sospechar, aunque por poco tiempo, que lo afectaba una extraña narcolepsia, inducida tal vez por la luz roja. De Víctor no obtenía nada que le pareciera confiable. De tanto en tanto suponía hallarse frente a un indicio, mas a la postre lo consideraba siempre engañoso.

Se había dicho también, no pocas veces, que lo mejor que podía hacer era tomar una actitud indiferente, alejada de los odios y la bondad; vale decir, ordenar al operario que apretase el botón y marcharse sin más. Y lo había puesto en práctica, empero, no con la constancia que él mismo se decía que era necesaria, ya que no pasaban más de tres días que estallaba y lo llenaba de insultos (una cierta culpa que sentía al exacerbar estos era lo que lo llevaba a la bondad posterior). El señor Hobermeister se reprochaba hondamente su falta de paciencia, y, por temporadas, verdaderamente consideraba que de conservar la sangre fría durante dos o tres semanas el asunto concluiría, no obstante la bilis que le trepaba al sonar la alarma era tal que todo razonamiento no tardaba en verse superado.

Cuando el señor Hobermeister regresaba a su oficina luego de denostar al operario, sentía embarazo y caminaba con una compostura que, por ser adrede, resultaba a ojos vistas exagerada. Claro que los obreros se cuidaban bien de mirarlo y simulaban ensimismamiento en su trabajo. El ingeniero caminaba a sus espaldas con el sereno garbo que, creía, era menester; no obstante, solía clavar los ojos en la nuca de algunos de ellos, como si los desafiara, aunque sus ojos celestes, que se destacaban en la calva y desnuda redondez de la cabeza, no delataban inquina sino una inquieta y lúgubre determinación. Subía la escalera ágilmente, bien que sin precipitarse, y se adentraba en su oficina. Entonces los obreros levantaban la cabeza y los abandonaba la pequeña tensión que los había invadido mientras escuchaban los pasos del jefe tras ellos. Continuaban con sus tareas sin cruzar miradas ni realizar comentario alguno. El señor Hobermeister, no bien entraba a la oficina, se sentaba en su gran escritorio y proseguía sin dilaciones con lo que había quedado interrumpido por la alarma, tal si no le diera trascendencia a la cuestión.

En realidad, el señor Hobermeister hubiera dado mucho por lograr que Víctor realizara correctamente su trabajo, excepto, por lo menos, una cosa: variar la disposición de elementos en el tablero; en buena medida porque aborrecía la idea de modificar, aunque más no sea un pequeño detalle, de la máquina, a la que consideraba perfecta, o, tal vez más precisamente, que sus imperfecciones eran parte de un todo indisoluble que funcionaba a satisfacción, y además, de esto estaba seguro y lo había planteado a la directiva a cuento de otra cuestión, era imposible exigirle más a 'su' máquina; en parte también a causa de que hubiera sentido que, de modificar el tablero, se mellaba su dignidad personal y renunciaba a una porción de su potestad; asunto este último que él tenía por muy delicado, no tanto ya por lo que concernía a su persona, sino porque estaba seguro de que afectaría el adecuado funcionamiento de la fábrica. De ninguna manera el señor Hobermeister hubiera aceptado cambiar de lugar la luz que Víctor era incapaz de percibir.

Al mediodía, el señor Hobermeister se marchaba a almorzar. Bajaba los escalones con sobria premura, pero siempre, antes de llegar abajo, se detenía por unos instantes y echaba un vistazo a la maquinaria y a los obreros; después seguía bajando y ya no se demoraba hasta llegar a la puerta que conducía al comedor. Regresaba un rato antes de que se cumpliera la hora, e, invariablemente, caminaba por los grandes pasillos que se extendían a los costados de la maquinaria; no lo hacía con aspecto de jefe que inspecciona o vigila, por el contrario, parecía un visitante que con aire negligente aprecia la máquina. Más bien distendido, demostrando que aún no estaba en horario de trabajo, paseaba y curioseaba, acercándose un tanto a la máquina de vez en cuando como si quisiera apreciar un detalle más detenidamente. A donde nunca se aproximaba era al lugar en el que trabajaba Víctor. Se hubiera dicho, de verlo al señor Hobermeister discurriendo en derredor de la máquina con aire displicente, que era un hombre muy accesible, casi simpático, probablemente feliz. Sin embargo, todo cambiaba cuando, comprobando en su reloj que había terminado la hora de comer, trepaba los escalones rumbo a la oficina. La adustez se adueñaba de nuevo de su rostro tan repentinamente como si le hubieran informado a boca de jarro una mala noticia. Abría la puerta de su oficina con energía; giraba luego de entrar cual un hombre expeditivo que sabe que no le sobra el tiempo, y cerraba, no con estrépito —lejos de esto—, pero sí lo suficientemente fuerte como para que en toda la sección que ocupaba la máquina se escuchara. Y ya no salía en toda la tarde, salvo, claro, cuando sonaba la alarma indicando que Víctor había fallado otra vez.

Justamente en el transcurso de una tarde, el señor Hobermeister —quien desde unos días atrás desataba con mayor vigor su ira contra el operario, impulsado por la creencia en la necesidad de una ofensiva final— llegó a perder los estribos de tal forma que de las palabras pasó a los hechos. Influyeron tal vez ciertas circunstancias: era muy cerca del final de la jornada, por lo que seguramente el ingeniero-jefe no esperaba ya acontecimientos perturbadores y, además, para la altura de la tarde, estaba atiborrado de tareas pendientes y tenía asegurado un buen rato de trabajo después de hora. Lo cierto es que, luego de unos gritos vehementes de su parte y de que Víctor apretase el botón con premura, se abalanzó sobre el operario y le propinó un violento empujón, con lo que Víctor fue a dar con el costado de su cuerpo contra la máquina. El señor Hobermeister se quedó cortado, amilanado por su propia violencia y por el temor de haberle provocado un daño a Víctor o a la maquinaria, aunque cuando se dio cuenta de que ambas cosas eran harto improbables, casi debió contenerse para no seguir adelante, acicateada su saña contra el operario con la idea de que por su culpa había abrigado aquellos miedos. Víctor, espantado, se incorporó a medias y permaneció a la defensiva, esperando quizá un nuevo ataque; miraba al señor Hobermeister con grandes ojos de animal acobardado y sorprendido; parecía no comprender el furor de su jefe, como si cualquier razón posible le fuese absolutamente lejana. Esta mirada, por un lado llenó de indignación al señor Hobermeister, ya que con ella desconocía Víctor su culpa, y por ende, también la justificación que le cabía a él por su arrebato; por otro lado, lo desarmó en alguna medida, ya que esa innata e instantánea seguridad en su inocencia, tan irreflexiva, tan natural, lo hizo dudar de sus razones. De repente, se encontró diciéndose si su acción no era condenable, si le asistía el derecho, y, oscuramente, tras un indeciso arrepentimiento, si en su violencia no se sumaba también el odio que en su ánimo anidaba por otros asuntos en los que Víctor no tenía nada que ver. El operario aún permanecía a la expectativa, sin atreverse a sentarse, inmóvil, persistiendo en su actitud de incomprensión, de extrañeza, de perro golpeado por un desconocido transeúnte que descargó en él su rabia del momento. El señor Hobermeister, pese a que hubiera querido demostrarle al obrero en una sola, corta, contundente frase lo justo de su reacción, no atinó más que a espetarle: —¡¡imbécil!!, —y a marcharse, con lo que se liberó de los últimos resabios de su cólera, pero que de nada le sirvió para desvanecer la frustración que lo había poseído al considerar que Víctor y otros que vieron la escena lo tenían ahora por un loco. No volvió jamás a emplear la violencia física.

Antes de irse, al finalizar la jornada, habitualmente el señor Hobermeister miraba de nuevo desde su ventanal, cerciorándose quién sabe de qué cosas. Su mirada era entonces más ausente, y los párpados avanzaban sobre los ojos. A veces se echaba un poco hacia atrás y adoptaba una posición que, se hubiera dicho, era más acorde para observar un cuadro que la fábrica, si no es que el señor Hobermeister no estaba en cierto modo admirando una pintura. Al bajar las escaleras y mientras caminaba rumbo a la puerta, sus movimientos eran calmos, se le notaba avejentado, como si, conforme pasaron las horas, hubieran pasado los años. Cerraba la puerta tras la que desaparecía hasta el día siguiente con la delicadeza de un anciano.

Cuando, con el correr de los años, el señor Hobermeister se jubiló, el hecho se convirtió en un pequeño acontecimiento dentro del sector. El último día, el ingeniero-jefe no dejó de saludar a todos y a cada uno de los obreros que trabajaron bajo su mando. Les daba la mano con firmeza, casi con una pizca de ardor, tal si se sellara un pacto o hubiera finalizado uno que se cumplió a rajatabla y del que ambas partes, ya en el pasado la posibilidad de quebrarlo, se declaraban, en silencio, ampliamente satisfechas. Los operarios, a pesar de que en general no sentían hacia el señor Hobermeister ningún sentimiento en particular, se emocionaron en alguna medida y retribuían el apretón con el mismo énfasis, contentos, cada uno, de que el jefe los reconociera con esa confianza, con ese gesto. Al tocarle el turno a Víctor, el señor Hobermeister por un brevísimo instante dudó, posiblemente no a causa de la aversión que le guardara, de la que empezaba a librarse, a olvidarse, sino por la actitud retraída y cobarde del obrero, quien, contrito en su taburete, parecía creer que recibiría una andanada de improperios, o aun la arremetida final, ya sin ningún freno que contuviera a su jefe. Lejos de esto, el señor Hobermeister avanzó resueltamente su brazo y a Víctor no le quedó más remedio que adelantar el suyo. Cuando las manos se estrecharon una fuerte exaltación se apoderó del obrero; su rostro se descompuso en una mueca dolorosa, expresándose súbitamente en sus facciones, patente, el violento cariño que le guardaba a su jefe. Su boca se abrió y por un momento dio la sensación de que a punto estaba de brotar de ella un repentino llanto. Claro que el señor Hobermeister apenas si debe haberse enterado de esto, en razón de que no lo miró nunca directamente a la cara, y sólo por la visión que a pesar de todo se tiene de aquello que no se mira realmente pero que queda en la periferia de la mirada y que pareciera que en parte se ve y en parte se adivina, debió haber vislumbrado los gestos que se dibujaron en el rostro de Víctor, quizá de manera tan confusa que la impresión que se llevó fuera completamente errónea. Cuando el señor Hobermeister se alejaba de él, la cara del obrero expresaba el más absoluto desamparo.

Al día siguiente el señor Velázquez asumía el cargo de ingeniero-jefe del sector. Reinaba entre los obreros una suerte de expectativa en derredor del asunto de Víctor; se preguntaban qué actitud tomaría el nuevo jefe ante las fallas de su compañero. Trabajaban con gran ahínco, dado que desconocían cuán exigente sería el nuevo jefe, sin embargo esto no era óbice para que estuvieran atentos, con esa atención que yace bajo los actos y los pensamientos conscientes, al sonido de unos pasos apresurados por el pasillo, señal de que la alarma había sonado en la ahora oficina del señor Velázquez. Empero esperaron, y esperarían, en vano, ya que la alarma nunca volvió a sonar. Víctor se apercibió desde ese día en adelante tan claramente de la luz, que no daba crédito a su memoria cuando recordaba los años en los que fuera incapaz de notarla.

La consulta

Ese sábado, ya cerca del mediodía, el doctor Fernández entraba en su casa con cierto apuro. Venía del hospital y pese a que nada le urgía no se había desprendido todavía, tal vez a causa de la simple inercia, de esa energía de movimientos, ese apremio, que le era indispensable para sentirse total y absolutamente un médico. Atravesó el pequeño jardín a paso veloz, el cuerpo algo volcado hacia adelante, llevando en una mano el maletín y en la otra dos cartas que había retirado del pequeño buzón. Tal como era su costumbre, quiso entrar sin más, pujando del picaporte, como si la puerta no tuviera pasado el cerrojo, mas siempre, mal que le pesara, debía echar mano a la llave o al timbre. Tocó un timbrazo severo pero no en demasía y aguardó. Había apoyado la mano con la que llevaba las cartas en el marco de la puerta y volcado ligeramente la cabeza hacia atrás. Luego de unos momentos, en vista de que su esposa no atendía, sacó las llaves y abrió. Le parecía extraño que ella no estuviera en la casa, máxime que él había sido bastante preciso en cuanto a la hora de su regreso.

El living-comedor estaba envuelto en una mustia

semipenumbra, la que, en pleno mediodía de un día fresco, le llamó poderosamente la atención. Dejó el maletín y las cartas en el sillón.

—Laura —se atrevió a llamar con voz débil.

Se asomó al pasillo con escasas esperanzas de encontrarla. Nada se escuchaba.

—Laura —volvió a llamar, internándose por el pasillo.

Las piezas estaban también con las persianas bajas, tan oscuras en comparación con el día esplendoroso del que provenía que se levantó en el ánimo del doctor Fernández una ácida lobreguez, acompañada de un resentimiento creciente contra su esposa por haberse ido, y quién sabía adónde, a una hora en la que debía estar allí, ya que no había ninguna razón para que no estuviera. No faltaba mucho para la hora en que habitualmente almorzaban y se suponía que estaría preparando la comida. Además, ¿¡a qué se debían esas persianas bajas tal si hubiera salido por varias horas!? Volvió al living y se dio a levantar las persianas. Por unos instantes pensó que podía haberle sucedido algo grave a su esposa y se alarmó, incluso estimó que debía tocar el timbre de algún vecino —cosa que aborrecía— para averiguar si sabían algo, sin embargo no pasaron más de unos segundos para que se dijera que, de haber tenido una urgencia, no hubiera bajado las persianas para irse y que, de tener tiempo y ánimo para bajarlas, también los hubiera tenido para llamarlo por teléfono al hospital y siquiera dejarle un mensaje. Esta idea de la llamada telefónica lo puso aún más ofuscado contra la mujer, ¿¡por qué no lo había llamado si era el caso que había tenido que salir, como todo aparentaba, por largas horas!?

El sol se expandió por el living con violencia y casi se arrepintió de haber subido tanto las persianas, no obstante las dejó como estaban y se dirigió al sillón a buscar sus cosas. Tomó las cartas y les echó un vistazo. Una no era más que propaganda médica, y en el sobre oficio su apellido, encabezado con su título, estaba escrito con máquina de escribir; la otra, también dirigida a él, estaba escrita a mano con una letra que le resultó harto conocida. Dio vuelta el sobre buscando el remitente. Cuando leyó, en la letra pequeña y apretada que le resultó ya inconfundible, el nombre y apellido de su esposa, supo que su matrimonio había llegado a un fin abrupto y loco. Casi no necesitaba abrir la carta, la casa vacía y el sobre bastaban para saber que se había marchado, tal vez, o mejor dicho casi con seguridad, harta de él, de su carácter, de su espantosa pedantería (que él, hombre de acción y cultivado, reconocía a veces, pero no por esto era capaz de ponerle fin, y tan lejos de ello estaba que aun cuando la reconocía no hacía sino felicitarse por su capacidad para distinguir lo que para otros hubiera sido invisible). Igualmente abrió el sobre, no con violencia, como hubiera querido, sino con cuidado, refrenándose, en parte por el prurito de no excederse, en parte por un cierto temor a que en la violencia ejercida sobre esa carta alguien adivinase en el futuro sus sentimientos de este momento y lo usase como arma contra él. Cortó una tirita a un costado del sobre e introdujo los dedos. No había nada. Descreído de tal posibilidad, miró adentro del sobre insistentemente, poco menos que al límite de parecer idiota, hasta que se convenció de que el sobre estaba vacío. Lo volvió a mirar por afuera y, asaltado de nuevo por la incredulidad, introdujo la mano entera. Nada. Sencillamente su esposa le había dejado un sobre vacío. ¿Qué significaba esto? Por unos momentos especuló con la posibilidad de que ella quisiera simbolizar con ese sobre el vacío de su propia vida, responsabilizándolo de ello, o la persona vacía que él era, o el vacío de la relación, o lo que fuere que quisiera reprocharle, dando por sentado que él entendería perfectamente, cuando en verdad no sabía a qué atribuirlo. Lo miraba y se preguntaba qué significaría ese sobre vacío. ¿Acaso su esposa, alterada por la decisión que tomaba, se había olvidado de poner el papel que había escrito?, un insulto contra ella brotó en su boca por semejante torpeza, el desprecio se apoderó de su ánimo, y casi se insinuó en él la idea de que más le valía que una mujer así se marchase. Pero no lo tuvo por muy probable y, además, al imaginarse discutiendo con su mujer ciertas cuestiones de la separación, pensó que si él traía a colación, para zaherirla, lo del sobre vacío, atribuyéndolo a un patético olvido, ella bien podía contraatacar aduciendo lo que él había pensado primero: que era un símbolo, y que él, un imbécil al fin de cuentas, no había entendido nada. Renunciaba a la sazón a darle crédito al supuesto olvido, cuando advirtió que el sobre tenía el sello del correo. Se sobresaltó un poco porque hasta ese momento había dado por sentado que su esposa dejó la carta en el buzoncito antes de irse. ¿Para qué la había mandado por correo a su propia casa? En un tris de caer en la desesperación acertó a armar la siguiente disposición de lugar, a la que en realidad quería desechar de antemano: hacía dos o tres días su esposa mandó la carta con la intención de marcharse inmediatamente, mas no se decidió a hacerlo hasta que comprobó que había llegado, aunque un cúmulo de objeciones se alzaron en su mente angustiada contra tal especie; algunas tan vagas que ni siquiera llegaron a formarse como una frase precisa que pudiera sopesar. De una de ellas, que fue cobrando forma concreta, se aferró con ansias, seguro, sin saber por qué, de que aquello no era de su conveniencia. Se dijo que no tenía sentido mandar un sobre vacío que sería recibido días después del hecho, habiendo perdido ya en gran medida su supuesto valor simbólico, y que, si lo del sobre vacío era un olvido, al escuchar su esposa esta mañana al cartero bien pudo colocar en el sobre, abriéndolo con cuidado, la carta que había escrito y que sin dudas obraba en su poder, o aún más fácil, romperlo y poner otro con la carta. ¿Y si lo mandó adrede vacío para marcharse en cuanto llegase? —se levantó este interrogante en su discurrir—. ¿Era posible que por alguna razón quisiese que ese sobre pasase por el correo en vez de ponerlo directamente ella en el buzoncito, o donde fuera que él lo pudiese encontrar? Asaltado por cierta desconfianza, escudriñó con atención el sello del correo. No descubría nada que fuera anormal. ¿Sería esto del correo el consejo de un abogado?, se le ocurrió de repente, pero ¿un sobre vacío?

Obnubilado por la aplastante improbabilidad en que se hundía cada conjetura que se hacía, se volcó contra el respaldo del sillón en que estaba sentado, renunciando por el momento a develar estos misterios. Una terrible desazón lo invadió. Libre su atención del asunto del sobre, que en alguna medida era como estar inmerso en una realidad fantasmagórica, volvía a hacérsele presente la inexorable y sencilla realidad del abandono del que era objeto, y de que Laura, su mujer, se había ido, probablemente para siempre. Desesperado, entrevió su futuro, su soledad, su incapacidad para olvidarla, su visceral rechazo a reemplazarla con otra mujer. Y, como un relámpago, una idea lo azuzó de manera horrible: ¡¿se habría ido con otro hombre?! Se levantó del sillón y en un paroxismo de odio e indignación se dirigió a la cocina sin saber para qué. ¡¡Pero, qué hija de puta!!, se gritaba para sí mientras recordaba sus guardias de veinticuatro horas, y en particular una vez que llamó a su casa y fue atendido por un hombre, quien se embrolló un poco cuando él le recitó el número marcado, y finalmente, luego de consultar con alguien, le dijo que era número equivocado. Se imaginó, vívidamente, el rostro de su esposa mientras gozaba un orgasmo, haciendo el amor con otro hombre. Y aun peor, nunca ella había gozado con él tanto como en esa fantasía. Se puso tan nervioso que le pegó una patada a la heladera, en parte inclinándose hacia una violenta ira contra ella, en parte clamando por una nueva oportunidad para hacerla gozar como nunca antes. Había dejado una marca, un triángulo despintado, en la puerta de la heladera; y esto le desagradó, más que por otra cosa por el descontrol que significaba, debido a que yacía en su interior, todavía larvada y oculta, la pretensión de aparentar ante quien fuese, tal vez finalmente ante sí mismo, que ese abandono no era para él desesperante. Y en medio del tormento que lo embargaba en su mente se hizo lugar la idea, y más precisamente la imposición del deber, de retocar con pintura la marca hasta hacerla invisible. Calmado en pequeña medida por esta tarea que se había impuesto, se dirigió nuevamente al living para hacerse del sobre que había recibido y guardarlo muy bien, casi podría decirse, para esconderlo.

Tomó el sobre de arriba del sillón y caminaba con él rumbo al dormitorio cuando escuchó la llave de la puerta. Se asomó al pasillo de entrada, primero anonadado, crispado, alterado luego por una odiosa esperanza. Su esposa entró cargando unas bolsas de supermercado. Avanzó él unos pasos imponiéndose a sí mismo el echarla, mientras en su interior crecía una oscura alegría, la que emergió apenas, y aunada a su odio formaron en el rostro del médico una mueca descompuesta.

—Se me hizo tardísimo —se apresuró a alegar ella. Y, en vista de que él no contestaba nada, agregó—: Estaba repleto de gente.

Ella hablaba mostrando sólo una ligera preocupación, y era, de manera que al doctor Fernández le pareció excesivamente cabal, una ama de casa retrasada con la comida que, por la razón que fuere, no le daba a la fea expresión de su rostro demasiada importancia.

—¿Qué pasó? —atinó a decir él, logrando transmitir a su voz una urgencia con dejos dramáticos.

—Había unas colas larguísimas —le espetó ella, como si empezara a indignarse, caminando ya rumbo a la cocina.

El doctor Fernández la siguió, algo indeciso acerca de si debía dejarse llevar o no por la ira. Perplejo ante la carencia de argumentos en que increíblemente había caído por el momento, y reprochándose esa perplejidad, entró a la cocina temiendo que su mujer descubriese lo de la heladera. Y miró en dirección del despintado para comprobar qué tan visible era. Mas, al adivinar que en su matrimonio algo se trastocaría si no reaccionaba, no tardó en reponerse y, como si de un instante al otro recuperara el carácter que le era propio, estalló:

—Estaban todas las persianas bajas. ¡¡Y esto!! —gritó y le puso el sobre delante de los ojos con un ademán violento.

Ella, aparentemente intrigada, tomó y luego leyó el sobre de ambos lados. Levantó la vista demudada.

—Yo no te voy a escribir una carta... —argumentó.

—Este sobre lo encontré vacío en el buzón —casi la interrumpió él con voz enérgica—. Y, qué casualidad, vos no estabas y estaba todo cerrado. —Él sentía que, mal que mal, dominaba la situación, e intuía que no sacaba suficiente provecho de su superioridad, por lo que poco menos que se devanaba los sesos para encontrar la manera de hacerla sufrir.

—Yo no lo escribí —aseguró ella.

—¿Y quién lo va a escribir, con tu letra, y lo va a poner en el buzón? —Por alguna razón no mencionó al correo.

—Yo no lo escribí —repitió, y lo miró con las facciones entregadas por entero a probar su sinceridad, su inocencia.

—No... y lo escribió... ¿quién? —tronó el doctor Fernández.

Ella se apartó y dudó. Parecía confundida en sumo grado.

—Alguien lo escribió —dijo, convencida a medias.

—Sí, vos... ¿Por qué? ¿Me ibas a dejar y te arrepentiste?, ¿o quisiste darme un susto nomás? —e inmediatamente se reconvino por la palabra susto, e iba a intentar corregirse, mas advirtió que la imprudencia cometida era para ella, en el estado en que estaba, una sutileza imperceptible.

—No. Me fui al supermercado y cerré todo por miedo que entrara alguien.. Hay tanto robo —y ella lo miró apenas de soslayo—. Sabés bien que siempre tengo miedo de que salten por la pared de atrás —agregó, más confiada.

—Sí, y el sobre brotó del pilar.

—Lo habrá escrito alguien que quiso joder.

—Pero es tu letra, exactamente tu letra —y él retornó a tomar el sobre para mirarlo, sin embargo no llegó a hacerlo ya que comprendió que su mujer le hubiese atribuido dudas al respecto.

—Esto —le repitió, cortante— lo escribiste vos. —Y lo movió delante de la cara de la mujer.

—Dejámelo ver —pidió ella.

—Ya lo viste.

—Pero apenas. Dejámelo ver —y extendió una mano indecisa.

—No. Me vas a decir cualquier cosa. Es tu letra, tu nombre y apellido —empezaba a caminar rumbo al dormitorio.

—Eso lo escribió alguno... No sé para qué, pero...

—¿Alguno? —él se volvió y la interrumpió.

—Alguien fue.

—Sí, claro —y siguió caminando.

La mujer empezó a seguirlo.

—Dejáme tranquilo —le espetó él.

El doctor Fernández entró al dormitorio. Quería guardar el sobre donde ella jamás lo pudiese encontrar. Aún no había decidido qué hacer. Ora lo invadía la convicción de que debía separarse ya, sin dilaciones —bien que su convencimiento se centraba más que nada en el atractivo que para él tendría el comunicárselo a su mujer, aunque, he aquí su inacción, también se lo comunicaría a sí mismo—; ora se inclinaba a darse la oportunidad de que algún tiempo —tan impreciso que iba de minutos a días— transcurriese. Abrió un armario y se dio a mirar en su interior buscando un escondrijo que lo satisficiera. A cada momento se proponía uno diferente que en seguida rechazaba sin considerarlo siquiera un instante; en realidad tenía a la idea del armario —justamente el del dormitorio común— por burda, pese a lo cual seguía buscando. Miró en uno y otro estante hasta que su atención se fue replegando y se encontró preguntándose si no sería algún vecino o algún otro conocido —pensó en sus propios amigos— el que escribió el sobre, incluso especuló si la intención no sería que él se pelee con su esposa para luego quedarse con ella. O alguna mujer —y particularmente se acordó de una vecina, una morocha atractiva a la que pensaba con un temperamento arrebatado, duro, capaz de someterlo— interesada en él. Al fin y al cabo, razonó, no era tan difícil acceder a un escrito —y confusamente trajo para sí algunos modos de acceso, incluyendo la inspección de la basura— y luego imitar la letra. Fue hasta la mesa de luz de su esposa y tomando una agenda que allí guardaba se dirigió a la ventana. Por unos instantes sintió lástima por su esposa, e imaginó que ella era inocente y era una víctima a la que él hostigaba. Este instantáneo repliegue de su encono no hizo sino redoblar prontamente su animosidad contra la mujer, y cuando comparó la letra del sobre con la de los nombres y direcciones de la agenda casi no encontró más que similitudes (aun cuando debía reconocer que aquí y allá creía ver rasgos que sólo encajaban a fuerza de mucha voluntad). Pero lo que más atrajo su atención fue la disparidad que constataba en las letras de las anotaciones de la agenda, todas sin duda hechas por su esposa, y no sólo la odió por esto sino que también encontró en esta circunstancia la evidencia de una mujer dual, hipócrita hasta límites aberrantes, capaz de haber escrito el sobre y después llevar a su rostro el gesto de dolorosa inocencia con el que lo miró en un momento en la cocina. Y una sospecha lo ensombreció y lo reconfortó a la vez: ¿no estaría ella cayendo en la locura?, una locura incipiente que no tomaba más que formas puntuales, pequeñas obsesiones que se iban agigantando de manera poco perceptible con el paso del tiempo. Así se explicaba que hubiera escrito el sobre y luego lo negara tan creíblemente. El rencor que guardaba no se satisfacía sin embargo con esta idea; por el contrario, entrevió que a través de ella la estaba exonerando y se aferró entonces a la presunción de su malicia, de una astucia harto inusitada que había adquirido a sus espaldas, rumiándola en esas horas en que estaba sola, inactiva, expuesta a ciertos vahos, ciertos hedores que la habían invadido y que habían trastocado su voluntad, su carácter, la persona que él quería y que mal que mal estaba ahí, en algún lugar de esa mujer que escribió el sobre. En alguna medida se sintió impelido a hallarla, y en este objetivo, que consideró digno, encontró la excusa que necesitaba para decidir que se quedaría, al menos por un tiempo, que no se separaría de inmediato.

Miraba los escritos y ya no sacaba más conclusiones, o por lo menos no la que deseaba, que era la seguridad absoluta en un sentido u otro. Toda ilusión al respecto, que nacía no bien encontraba, por ejemplo, dos palos exactamente iguales de la pe, era efímera, y pronto encontraba una tercera que discordaba. Las yes lo sacaban de quicio y cuanto más las comparaba más se convencía de que la ciencia de los peritos calígrafos era una farsa que sostenían a fuerza de aparentar una exactitud de la que carecían absolutamente, tanto como él blandía sus diagnósticos con la convicción que, suponía, sus pacientes esperaban, persuadidos por ellos mismos de la existencia de una ciencia médica. Aun así, se dijo que iría a un calígrafo y, como una calidez que le trepara, se vio impelido a creer que confiaría ciegamente en él y que tendría a lo que le dijese por una palabra definitiva en el asunto.

El calígrafo levantó y meneó la cabeza como si el caso lo llevara a una perplejidad imposible, que se negaba a aceptar.

—Los papeles y el sobre que usted me dio fueron escritos por la misma persona —dijo no obstante, acompañando sus palabras con un gesto de hombre que, mal que le pese, se inclina ante las evidencias que tuvo ante los ojos.

El doctor Fernández, que por el ademán primero aguardaba algo sorpresivo y extraño, no fue consciente de inmediato de lo que significaban las palabras del calígrafo y casi las escuchó como si fuera una cuestión que apenas le incumbiera.

El calígrafo se paraba y le extendía los papeles y el sobre.

—No hay dudas al respecto —aseguró, entregado ya por completo a la dignidad del oficio.

El doctor Fernández tomó los papeles y los guardó apresuradamente en un bolsillo. Sonrió apenas mientras lo saludaba con un apretón de manos. Era un primer piso y bajó las escaleras sin advertir que algo hubiera cambiado. Dubitativo, asistía a una suerte de indiferencia que se mantenía inalterable por mucho que él la punzase repitiéndose que su esposa había escrito ese sobre. Luego de atravesar un pasillo bastante sombrío, salió a la luz plomiza de la calle. La verdad, por la que en algún momento hubiera dado cualquier cosa, lo tenía ahora sin cuidado.

Caminaba por la estrecha vereda levemente desconcertado por el deseo imposible de olvidar lo que el calígrafo le había dicho. Se detuvo, sacó los papeles y comparó la letra del sobre con otra. Había diferencias que eran notables. Por un instante lo abordó la presunción de que el calígrafo se placía en afirmar lo que el cliente menos deseaba escuchar. No parecía que con esos papeles se pudiese asegurar nada. Los volvió a guardar y recorrió los metros que lo separaban del estacionamiento. El escepticismo con respecto a lo que el calígrafo pudiera opinar lo iba ganando.

Manejaba bajo una fuerte lluvia, la que empezaba a anegar la avenida. De cuando en cuando un trueno estallaba con un estampido urgente que hacía pensar en algo contenido que se liberaba. El tránsito estaba pesado y le impedía ir más aprisa. Deseaba llegar a su casa. Todavía no había decidido si increparía o no a su mujer, si la cercaría con el informe del calígrafo. Por un lado tenía a esto casi como a un deber, la obligación de ser consecuente con el doctor Fernández que había sufrido lo indecible esa mañana de sábado; por otro lado lo había invadido un desgano cada vez más profundo por este tema y ya no encontraba razones firmes para decidirse a reanudar las discusiones con su esposa luego de un tiempo en el cual el extraño caso había desaparecido por completo de sus charlas. Inclusive cuando ese día había dejado el consultorio para ir a ver al calígrafo se había sentido pesaroso y lo había asaltado la idea de no ir, de no aparecer más, y si la desechó fue porque era un conocido de un abogado amigo suyo de muchos años. Había ingresado en un tramo en donde el tránsito se disipaba y podía ir veloz, atravesando uno tras otro los semáforos verdes. Percibía como su auto se abría paso y se lanzaba entre los charcos. Por otra parte, a la mañana siguiente tenía una operación en el hospital lo suficientemente novedosa y ardua como para que ocupase buena parte de su atención. Cada tanto seguía en su imaginación los trazos, las incisiones que haría con los instrumentos, y se imponía, con esfuerzo, el límite hasta donde debía cortar. Temía siempre que su mano, divorciada de su voluntad, se deslizase mucho más allá de lo debido y cometiese un error grosero y bestial, frente al cual —él en su imaginación se veía aferrado desatinadamente a ella— esgrimiría la loca excusa de que el instrumento había actuado solo, que había adquirido una inusitada locomotividad y había arrastrado su mano, y llegaba a verse en el menesteroso acto de insistir con esta explicación ante sus azorados colegas.

Estacionó el auto y detuvo el motor, mas no se apeó. No se decidía a hacerlo, en parte por la lluvia, puesto que no tenía paraguas, pero más que nada porque se sentiría en falta ingresando a la casa sin una decisión tomada. Tanteó los papeles que guardaba en el bolsillo. Su cabeza no obstante se negaba a considerar el problema y más bien todo su cuerpo, inerme y blando en el asiento, descreía de que hubiera algún problema. El agua corría por el parabrisas y él la miraba resbalar en sus velocidades diversas, en sus distintos cursos, sin pensar en nada en particular. Se estuvo allí unos minutos, sin más objeto que dejar que el tiempo transcurriese, evitando el violentarse en ningún sentido, preservándose de decidir lo más mínimo. De forma convenientemente velada, en su ánimo se fue afincando la idea de que todo lo que pudiera hacer en ese punto daba en última instancia lo mismo. Las gotas dejaron casi de correr por el vidrio y, advertido, se asió de este hecho y bajó del auto.

Apenas entró en la casa creyó adivinar que su esposa estaba en la cocina. Caminó hasta allí deseando verla, aunque no más que para confirmar que ella estaba en la casa. Cuando se asomó su esposa levantó la cabeza y le dedicó una tranquila sonrisa, distendida la ancha boca en un gesto repentino y espontáneo. No había en el rostro de ella ninguna preocupación. El doctor Fernández la saludó, correspondiendo en el tono de voz a esa sonrisa, y se dirigió a la habitación que compartían.

El formol

Parado detrás de una pila de cajones de verdura, desde el fondo del mercado, el viejo se asomaba y espiaba un auto de policía que acababa de estacionarse en la puerta. Dos policías bajaron del auto y entraron al mercado. En seguida se dirigieron hacia los mostradores de la derecha, con lo que quedaron fuera del campo visual del viejo. A punto estuvo éste de salir a descubierto para no perder de vista a los policías, pero se contuvo y, llevándose una mano a la cara —que con cierta energía pasó en movimiento descendente por la nariz y la boca y el mentón—, se dispuso a aguardar.

Pese a no estar arrugado el rostro del viejo evidenciaba sin embargo el paso del tiempo; se revelaba en la hinchazón de las facciones, particularmente de la nariz, y en una piel cerosa y con várices, en donde cada poro se hacía ostensible, por lo que, a falta de líneas de arrugas tenía una rugosidad aún más desagradable, en suerte de pústulas, granulosa. Vestía una camisa verde oscuro, en la que se disimulaba la mugre inevitable del trabajo que realizaba, y que, además, no hacía mal efecto con sus canas. Se la arremangaba cuidadosamente por sobre los codos. El pantalón, de un marrón grisáceo, le ceñía un poco la panza y luego caía con sobriedad hasta unas zapatillas sin cordones. Con sus variantes, pocas en realidad, solía vestir así para trabajar en el mercado. Las aspiraciones de pulcritud que tenía eran más visibles en el cuidadoso peinado a la gomina que se hacía, con raya al medio y el pelo tirado hacia atrás. Jorge —así se llamaba el viejo— se ocupaba de acomodar los cajones, de preparar los pedidos grandes, a veces de seleccionar mercadería, a veces de embolsarla. Hacía más de cuatro años que trabajaba allí de la mañana a la noche y no había faltado nunca, excepto en las tres ocasiones en que se había amputado un dedo. En estos casos, luego de una ausencia de unos días, había aparecido con un dedo menos en la mano izquierda y nadie en el mercado se enteraba en qué circunstancias se producían tales mutilaciones. Lo cierto es que retornaba y sin más explicaciones que el dedo faltante se daba a sus tareas. Ni el patrón ni ningún otro extendía más allá su curiosidad. En esa mano no le quedaban más que el índice y el pulgar.

Los policías se demoraban y el viejo empezaba a inquietarse. ¿En qué se demorarían? ¿Estaría alguien intercediendo, tratando de convencer a los policías?, ¿quizá el patrón?, pero ¿no era esto contradictorio? Se separó un paso de la pila de cajones de verdura y se estiró en algo, sin embargo no llegó a verlos, y no se atrevió a asomarse más ya que por nada del mundo quería llamar la atención. Calculaba que había un tercer policía en el auto aunque no lograba divisarlo. De cualquier modo, no había ningún alboroto, ni siquiera un incipiente movimiento de gente aguijoneada por la curiosidad, y aun más, no podía afirmar que la gente a la que él veía mirara insistentemente hacia donde estaban los agentes. —Aunque —pensó Jorge—, ¿por qué habrían de preocuparse? —El frutero por ejemplo, que era casi tan viejo como él, se estaba sentado en un cajón masticándose los bigotes con total indiferencia. La tranquilidad de ese viejo que había hecho su dinero vendiendo fruta lo indignaba; parecía inmune a todo acontecer y vendía y vendía y guardaba los billetes en el enorme bolsillo del roñoso delantal que usaba seguramente desde hacía no menos de veinte años. Jorge solamente había cruzado con él algún saludo ocasional, sobre todo en los primeros tiempos, cuando creía que sacaría un provecho de cultivar las buenas relaciones. Incluso decir cruzar puede ser exagerado ya que el frutero respondía con un gesto tacaño, apenas perceptible.

Por fin los policías aparecieron de nuevo. Volvían al auto con aire grave. Jorge regresó tras los cajones, sin dejar de seguirlos con la vista. Subieron al coche, y se demoraron allí dentro sin arrancar el motor. El viejo empezaba a preocuparse también por las tareas que le restaban hacer. Los miraba con inquina, preguntándose qué esperaban para irse; le urgía retomar su trabajo, mas no se decidía a hacerlo hasta verlos partir. Repentinamente el auto arrancó y presuroso desapareció de la vista del viejo. De inmediato éste regresó al trabajo.

Apilaba los cajones según el tipo y la calidad de la verdura. En realidad no tenía él instrucciones muy precisas acerca de lo que debía hacer, salvo cuando preparaba los pedidos, pero nunca el patrón se había quejado de él, por lo que —a pesar de que continuamente era testigo de cómo los muchachos expendedores desarmaban en un santiamén sus pilas y se llevaban lo que buscaban— consideraba que hacía una buena labor. Dadas sus fuerzas no se precipitaba jamás, pero tampoco se detenía, y menos aún cuando el patrón andaba en las cercanías. Se esmeraba en evitar lo que juzgaba sería un error en el orden del apilado y sabía estarse un buen rato decidiendo qué correspondería colocar a continuación. Había buscado también a lo largo de estos años una perfecta disposición de las pilas, de manera de lograr que la ubicación de un determinado cajón fuese tan fácil como la de una ficha en un archivo bien organizado, no obstante este objetivo no lo había podido cumplir nunca cabalmente, en parte porque los muchachos desarmaban a cada rato lo que él disponía, en parte porque, por ejemplo, entre seis cajones de acelga las diferencias de calidad que él percibía en un determinado momento, y por las cuales los ordenaba, no coincidía necesariamente con la apreciación de más adelante, ya que a veces primaba más en él un criterio que otro y, por caso, en ocasiones el tamaño de la hoja de la verdura le parecía fundamental, y en otras el color, o la higiene, o la ausencia de manchas y puntos, o la 'frescura'; y ni hablar de los criterios que pudieran esgrimir los demás, que al viejo lo habían preocupado bastante por un tiempo, aunque los muchachos ni remotamente parecían dispuestos a tener alguno.

En los últimos tiempos el trabajo se le dificultaba crecientemente, en primer lugar a causa del tercer dedo perdido y las consecuentes penurias que debía enfrentar para asir con firmeza los cajones, pero además, en razón de que su salud, sus fuerzas, flaqueaban. No notaba una enfermedad en particular, sino que en todo su organismo había pequeñas fallas y ya casi ningún órgano funcionaba de manera que pasara inadvertido; de a ratos sentía —esto había empezado bastante tiempo atrás pero se agravaba— el estómago, los intestinos, el corazón, etc., y esta frecuente percepción de las funciones orgánicas lo ponía pesaroso, a veces lo agobiaba. Al principio, unos años atrás, había tomado la costumbre cuando estaba solo en su casa —que devino en una manía de la que luego no podía prescindir—, de quedarse atento a lo que ocurría en su interior, auscultándose con la intención de descubrir algo, una enfermedad que estuviera gestándose en él, y sucedió que, después, cada vez se le hacía más difícil escapar de esas percepciones y no podía sino seguir advirtiendo la marcha de los órganos en su cuerpo. Con el tiempo, por alguna razón, la presencia de los órganos en sus sentidos se independizó totalmente de su voluntad. En ocasiones esta percepción era increíblemente persistente y durante horas no lograba desembarazarse de un órgano, cuyo funcionamiento ocupaba su cabeza de un modo contumaz, imponiéndose a toda actividad, a la que se entregaba con la intención de olvidarlo, de acallarlo; actividad que no podía salir de un plano secundario, ocupando —y por momentos— sólo la epidermis más superficial de su atención. Incluso se había dormido más de una vez inmerso en este agobio, preguntándose además —generalmente surgía este interrogante y la inquietud que le generaba alimentaba el fenómeno— si la constancia del órgano no era un pedido de auxilio, una advertencia de la enfermedad que brotaba en él, y si no constituía un riesgo, si no era una actitud desaprensiva, el olvidarle, negándose a otorgarle la debida importancia.

En el mercado, cuando levantaba los cajones y el peso le demandaba un gran esfuerzo, se reprochaba no haber sabido cuidar su salud, lo poco deportista que había sido en su vida, y hasta recordaba con acritud ciertos contados excesos que había hecho muchos años atrás. Se comparaba con otros, con el frutero por ejemplo, y estaba seguro de que a nadie más que a él mismo le cabía la culpa por lo que le pesaban los cajones. Para peor, creía que no le quedaba más remedio que disimular, como fuere, lo que le costaba levantarlos, dado que, de verlo, el patrón podría juzgar que había llegado el momento de prescindir de él. Y este disimulo le valía un esfuerzo suplementario, sobre todo de concentración; llegaba a intentar imponer a su rostro una expresión de imperturbabilidad, de hombre que realiza su rutina sin ninguna dificultad. Máxime que las penurias de los últimos tiempos coincidían con una mayor frialdad del patrón hacia su persona. Verdad es que nunca se había interesado demasiado en él, pero ahora su indiferencia hacia el trabajo que hacía era absoluta y, aunque el viejo poco menos que se negaba a detenerse a pensar en el asunto, casi parecía que bien podía hacer lo que quisiera ahí en los fondos con los cajones, excepto, claro, cuando preparaba los pedidos especiales. No obstante, Jorge se decía, convenciéndose, que el desinterés del patrón no era más que la confianza que tenía en que el trabajo de él estaba siempre bien hecho. Y aun se decía que esta aparente indiferencia se desmentiría apenas cometiese el más mínimo error, el que, aunque pareciese lo contrario, no pasaría desapercibido para el patrón. A veces se lamentaba por estar tan apartado y no hablar nunca con los demás; se advertía excluido de lo que acontecía en el mercado, excluido de los secretos, los rumores, los comentarios; estaba seguro de que la opinión que de él tenía el patrón la conocían todos menos él mismo, y relacionaba esto —los elogios que hacía de su trabajo— con el silencio y la frialdad de los demás. En este caso la indiferencia del patrón también podía deberse a una prudente actitud, con la que evitaba que los demás le tomasen una inquina mayor y se exacerbase su ánimo contra él, al que, en los corrillos, se le tenía tal vez por 'el favorito'. Juzgaba entonces que le convendría adquirir la costumbre de hacerle una suerte de guiño cómplice al patrón, solapado e imperceptible para los demás, quizá cuando llegaba y cuando se iba. Es más, había intentado en una oportunidad un gesto de este tipo, empero para su pesar el patrón estaba ocupado en algún menester que absorbía su atención y no lo había visto. Contaba a su favor también con un argumento que se esgrimía cada vez que dudaba: la parsimonia con que el patrón lo recibía luego de varios días de ausencia a causa de la amputación de los dedos, y la prontitud y carencia de suspicacias para aceptar sus disculpas por los faltazos cuando mostraba la mano. El patrón levantaba las cejas por toda demostración y sólo en la última ocasión, ante el tercer dedo cortado, masculló algo ininteligible pero que, en el tono, trasuntaba una cierta perplejidad por lo inusual del caso. El viejo temió que ese farfullar se debiese al desagrado del patrón ante el impedimento que tendría para realizar el trabajo, y se apresuró a afirmar: —Puedo ayudarme perfectamente a levantar los cajones con estos dos dedos —y le volvió a mostrar la mano izquierda, esta vez moviendo los dos dedos que le quedaban en forma de pinzas. El patrón lo miró con cara ligeramente ausente y se levantó de hombros. Jorge había seguido caminando hacia los fondos, escondiendo en alguna medida la mano de la vista de los demás, aunque éstos no pareciesen demasiado interesados en curiosear como para detenerlo y preguntarle algo. Y pese a todo, con el transcurrir de los días fue quitando todo vestigio de pesimismo a lo ocurrido y acabó por creer que la actitud del patrón era una muestra de la buena predisposición de ánimo que tenía para con él. La elevación de los hombros, por ejemplo, la interpretó finalmente como un gesto con el cual le transmitió su falta de dudas en lo que él le había asegurado.

En cuanto a los otros, en general, se limitaban a observar la mano para ver el estado del nuevo muñón, algo intrigados por una mano que iba adquiriendo un aspecto monstruoso; sólo uno de los muchachos expendedores, al buscar un cajón y descubrir la falta del tercer dedo, lo miró como se mira una aparición extraordinaria y le espetó: —¡Otra vez!, —pareciendo en cierto modo que le pedía alguna explicación; pero siguió inmediatamente su camino sin esperar respuesta, con el cajón al hombro, tal vez corrido por la cara de susto del viejo, que había visto en la expresión del joven una dura inquisición, y aún más, la evidencia de que el muchacho guardaba malévolas sospechas acerca del origen de esas amputaciones.

Jorge se preguntaba qué podía hacer para averiguar lo que esos policías buscaban. Descartaba la posibilidad de preguntárselo a alguien sin tapujos, en vista de que sería muy sospechoso que él, que no hablaba con nadie, anduviese inquiriendo sobre la policía, sin embargo, pensaba que quizá podía sonsacarlo o hasta tener la suerte de escucharlo por casualidad si es que buscaba alguna excusa para ir adelante y deambular un poco por ahí aguzando el oído; bien que no tardó en tener a esto último por imposible, ya que no encontraría una excusa admisible por mucho que quisiese fraguarla. Los muchachos que buscaban los cajones, que eran los que tenía a mano para sonsacarlos, estaban siempre apurados y lo más probable era que no supiesen nada. Por un momento se detuvo, apoyado el peso de su cuerpo en una corta pila de cajones, y, luego de rebuscar en su cabeza en una suerte de arremetida final, chasqueó la lengua y decidió que nada podía hacer para enterarse de la razón que habían tenido los policías para ir al mercado. Se quedó mirando los pequeños atados de radicheta. Cada vez que se detenía a mirar la verdura de hoja esperaba —tal vez un miedo atávico— que de ella, de sus ocultos repliegues interiores, surgiesen decenas y decenas de bichos. Para asegurarse —muchas veces lo hacía— abrió las hojas aquí y allá con la mano mutilada. Tendía a utilizar esta mano para todo lo que pudiera ser peligroso o desagradable, seguramente porque ya no le quedaba más remedio que tenerla en poco. Tampoco tenía ya ninguna ilusión con respecto a esta mano. Cuando se había rebanado el primer dedo abrigaba la esperanza de que el hecho le valiese el interés y la atención de la gente del mercado, siquiera por unos minutos. Empero, quizá a causa de lo mucho que se trabajaba allí y del ensimismamiento de los empleados y puesteros en sus propios asuntos, no le dieron a la cuestión un ápice de importancia y muy probablemente muchos de ellos ni siquiera se enteraron de lo que había ocurrido, y no era descabellado pensar que, inclusive ahora, que iba por el tercer dedo, algunos de ellos ignorasen lo que sucedía con su mano. La diferencia consistía en que ahora el viejo ya no aguardaba la preocupación de sus compañeros y se conformaba con la quieta y aquiescente mirada del patrón cuando exhibía ante sus ojos la nueva pérdida. Cada dedo que debía resignar le valía un largo tiempo de acostumbramiento a su ausencia, aunque en verdad todavía no se había amoldado acabadamente ni a la carencia del primero. Había descubierto, o creía haber descubierto, que conforme disminuía el número de sus dedos sentía cada vez más la presencia de los órganos, y por un tiempo titubeó entre vincular causalmente ambas cosas o atribuir esto último a los años, negándose a aceptar que guardara relación alguna con sus dedos cortados. Finalmente, se había inclinado a creer que era innegable la influencia que sobre su percepción toda debía tener el advertir la existencia de algo inexistente formando parte de su cuerpo, por lo cual sus sensaciones con respecto a su organismo se debían haber trastocado. Se decía que su cerebro —en la silenciosa morbosidad a la que se entrega a nuestras espaldas y a nuestra costa— debía estar buscando los dedos y que exacerbaba hasta lo enfermizo la percepción de los estímulos que recibía del cuerpo en pos de hallarlos. Y se preguntaba por qué una parte de él se negaba a aceptar la pérdida de los dedos, ¿no era acaso esa misma parte, de cierto modo, responsable también de esta pérdida? ¿Sería justamente por esto que los buscaba? En una ocasión había tenido una pesadilla que lo asustó sobremanera: un médico le aseguraba que así como sentía dedos que no estaban, la clara y hasta molesta percepción que tenía de algunos órganos era la prueba de que carecía de ellos. Se despertó sudoroso y por largos minutos creyó a pies juntillas lo que el soñado médico le había dictaminado. Casi se arrastró hasta las pantuflas, asustado, convencido de que la muerte era cuestión de horas. Aferrado a una de las pequeñas columnas de la cama, estuvo por un ratito poco menos que boqueando, hasta que cayó en la cuenta de que había sido un sueño y se incorporó queda, pesadamente, con la cara macilenta, avergonzado por lo timorato que se había mostrado, pero en nada feliz, en nada aliviado por lo tranquilizador de la realidad. Se miró la mano sin los dedos como para asegurarse de que era el hombre que creía ser. La pesadilla no se repitió; sin embargo a menudo la recordaba y cuando lo hacía lo embargaba una vaga inquietud.

Sólo un vecino, más viejo que él, se había preocupado en algo por sus dedos faltantes y lo había inquirido con verdadero interés, como si buscase extraer una enseñanza o directamente un provecho. Jorge, que no hablaba con nadie en el vecindario, se sorprendió de que ese viejo, que vivía a más de una cuadra y con quien no recordaba haber cruzado un saludo siquiera, se mostrase tan atento, y hasta se exasperó por la curiosidad extrema del viejo, que insistía en conocer los detalles. Jorge tuvo que mentir y mentir, y por cada mentira que decía se sentía abismado en el miedo —un pánico interior que disimulaba— de errar y contradecirse o de afirmar un imposible; se tenía que contener también para no contestar al anciano con un denuesto. Y se quedó azorado cuando el vecino le preguntó si no había guardado los dedos en formol, para que en un futuro se los pudiesen injertar. Jorge tenía en su casa dos víboras en sendos frascos de formol. —¿¡Cuánto sabe!? —se preguntó Jorge, que empezó a caminar para alejarse mientras lo saludaba y murmuraba algo acerca de lo apremiado que estaba. Desde ese día no volvió a pasar jamás por la cuadra de ese viejo y cada vez que salía de su casa o volvía a ella se cuidaba de asegurarse que no estuviera en las proximidades.

La jornada terminaba y el mercado estaba a punto de cerrar. Jorge se iba después que los demás, atareado siempre con el orden al que se abocaba a último momento para dejar todo según él creía que debía estar hasta el día siguiente, luego de los desbarajustes que le hacían los muchachos, inclusive a poco del cierre. Cuando terminó de acomodar los cajones a satisfacción se quedó mirando unos instantes las pilas para cerciorarse de no haber cometido ningún yerro. Por fin giró y fue caminando hasta la salida con lentitud. A medida que avanzaba se iba apoderando de su ánimo un tímido recelo. Estaba bastante oscuro y parecía aguardar que de las sombras de los puestos ya solitarios surgiese alguien que lo increpase. La persiana estaba baja y sólo entraba luz por la puertita abierta. Cuando llegó ante ésta se detuvo; su intención era saludar a Juan, una suerte de encargado y fregapisos, pero no andaba por ahí y no le quedó más remedio que atravesar la puertita. No vio nada fuera de lo corriente en los alrededores y echó a caminar hacia su casa. Sin embargo se había apresado ya de su atención el corazón, y no solamente lo escuchaba latir, casi sentía perfectamente todo su contorno y su forma; hubiera podido ubicarlo en su pecho con más precisión que la que podría ostentar un cardiólogo. Y si se miraba el pecho —cosa que trataba de evitar pero que cada tanto hacía— lo imaginaba con sus colores y sus venas, tal como lo había visto en unas láminas y en televisión, latiendo con ese movimiento espasmódico que advertía de modo tan patente y que lo impresionaba feamente. El tac, tac, tac, repercutía en su cabeza y no había forma de saber hasta cuando se prolongaría, y si, como siempre temía, al cabo no lo pudiese arrancar de su atención nunca más. Y justamente al corazón era al que más aprensión le guardaba; pensaba que si algún día este órgano se ensañaba con él y no podía dejar de sentirlo latir, acabaría demente, enardecido, oprimido por una percepción constante e invencible a la cual su desesperación sólo alimentaría, flagelado como las víctimas de la tortura china, que perdían la razón a causa de un continuo y rítmico goteo en un rapado lugar de la cabeza.

El viejo andaba con cierta dificultad; se hubiera podido decir que tenía un bulto ajeno a su naturaleza entre sus piernas. Caminaba cerca de la pared, bamboleándose levemente. El trayecto hasta su casa no era largo, pero él lo prolongaba dos cuadras para evitar pasar delante de la casa de aquel anciano que lo había interrogado. El sol estaba ya muy oblicuo, pronto a desaparecer tras las edificaciones; las calles estaban tranquilas. No obstante el viejo, a la vez que atendía el bombear del corazón, presentía una mirada que lo acompañaba, y caminaba y se movía para esa mirada de un modo casi inconsciente. En la última cuadra se apuró un poco, lo que incrementó su bamboleo. Al entrar en la casa se dirigió inmediatamente a la cocina, y allí, sin prender la luz, pese a que se la advertía penumbrosa, se estuvo un ratito. Cuando salió fue hasta su dormitorio, una amplia habitación de techos altos y paredes descascaradas, que alguna vez fueron pintadas con un celeste verdoso. Además de un armario y una cama, había una cómoda a mitad de una de las paredes. El viejo sacó despaciosamente de los bolsillos un pañuelo, las llaves y un par de enseres más y los fue poniendo sobre el vidrio que cubría el tablero de mesa de la cómoda. Corrió unos retratos y se quedó mirando los frascos con las víboras en formol. Eran unas víboras bastante bonitas, con sus pieles dibujadas en coloridos arabescos. Él las observaba con toda la atención que su corazón le permitía, que no era tan escasa ya que los latidos habían pasado a ser por el momento una suerte de música de fondo. Tenía la costumbre de mirarlas cuando regresaba del trabajo y a veces hasta se quedaba un poco extasiado, con un gesto interrogativo en el rostro, tal si esperara adivinar algo. Solía tener deseos de abrir los frascos y operar con un palito ahí dentro para mover la víbora, tal vez levantarla y sopesarla, o buscar su boca. En esta ocasión no tardó mucho en volver a correr las fotos. Por detrás de los marcos de los portarretratos apenas si asomaban los frascos. Se apartó de la cómoda, sintiéndose molesto por los latidos del corazón, que volvían a reclamarlo y eran cada vez más contundentes. Caminó hasta el comedor, que bien podía ser tenido por una desvencijada antecocina o comedor diario, y prendió el televisor. Se sentó en una silla y se acodó en la mesa de fórmica.

El conductor del programa era simpático y hablaba continuamente. El viejo tuvo la esperanza de que derrotara a la percepción interior que retenía buena parte de su atención, erradicando los latidos de su cabeza. En el programa había juegos y números humorísticos y el público aplaudía entusiasmado. De tanto en tanto hacían alguna chanza con una de las mujeres de la tribuna y ella reía a más no poder. Luego la cámara volvía de nuevo hacia el conductor y éste presentaba otro sketch, el que se desarrollaba en una nueva escenografía.

LOS MUROS

La sala principal de la casa era un cuadrado casi perfecto y aun podría decirse, si se tienen en cuenta los altísimos techos, que no estaba lejos de una forma cúbica. Dos ventanas generosas —aunque no tanto como para ser tenidas por ventanales— se abrían en sendas paredes a los campos ralos y desparejos que rodeaban la construcción. Una de ellas, cuyos vidrios rotos —muchos de ellos triangulares— parecían aferrarse a los marcos, estaba abierta de par en par, de tal forma que se había puesto ya a salvo de los vientos, habiendo renunciado a ofrecerles resistencia. La otra, semiabierta, no tenía vidrio alguno. En las paredes se dibujaban todavía las formas de los muebles que habían colocado contra ellas y que habían preservado allí la pintura del polvo y del hollín; no obstante, se veían ahora como manchas, como dibujos inconvenientes que afeaban aún más la sala. En una de las paredes, por ejemplo, se adivinaba las formas de un sillón y más allá las de un trinchante con finas columnas y espejo. Sin embargo, eran los cuadros los que habían dejado más nítidamente marcada su figura, haciéndose su ausencia tan notoria que habría sido lo primero que se hubiera debido solucionar en el improbable caso que se habitara de nuevo la casa. En el techo, no muy lejos de la caja de luz de donde debió colgar alguna vez una araña, nacía una larga rajadura que bajaba luego a la pared y seguía hasta el vestíbulo, desapareciendo finalmente en el hueco que de seguro albergó en su tiempo una imagen religiosa. El hueco estaba descascarado y, con la puerta de entrada cerrada, adquiría un aspecto sombrío y lamentable, muy lejos de lo que habría tenido en mente quien ideó este pequeño nicho, el que habrá imaginado a quien entrara siendo recibido por una deidad bañada de luz. El vestíbulo era pequeño y daba paso abiertamente hac.a la sala aunque comunicaba también, menos visiblemente, al comedor y a un hall. Este último daba albergue a la escalera que llevaba al piso superior y era tránsito obligado para ir a la cocina y a las habitaciones del fondo. El comedor, si tomamos a este vestíbulo como referencia, estaba en oposición a la sala. Era una habitación algo más chica que ésta y más rectangular, y era luminosa en sumo grado, no sólo debido a las altas ventanas, que culminaban en banderolas, sino también a su ubicación —ya que daba al norte— y a lo claro de las paredes, casi blanquecinas o apenas amarfiladas. Preservada de los vientos por unos vidrios poco menos que intactos, no estaba ajada, o lo estaba en pequeña medida, y no se le podía reprochar mucho más que las marcas de las patas de la mesa —evidentemente larga y voluminosa— en las maderas del piso. Fácilmente se podía adivinar que los dueños de casa habían recibido orgullosos en ese comedor, disponiendo a los comensales en derredor de la mesa con esa amabilidad que no olvida que a quien está destinada se le está haciendo una gracia, una distinción inmerecida. Era previsible, además, si nos dejamos guiar por el tipo de casa y por la atmósfera de la habitación, que prescindieran de los platos rimbombantes y que prefirieran la sencillez, casi con seguridad las carnes asadas sin aditamentos ni rellenos ni salsas, acompañadas de verduras, probablemente ensaladas. Si alguien se paraba en un rincón podía imaginar la escena: uno de los dueños de casa, por entonces cincuentones sonrientes y charlatanes, recibiendo la fuente de manos de la empleada sin dejar de hablar, haciendo evidente con su actitud que no estaba dispuesto a cambiar la rutina ni los gustos por la presencia de nadie. Pero en esto no verían nada ofensivo, ya que presumiblemente nunca veían nada malo en sus propias acciones y actuaban con esa seguridad cordial que adquieren los rentistas y los que tienen asegurado el porvenir. Quizá no haya nada mas civilizado, más humano, que un rentista de buen carácter. Incluso suelen perdonar a los demás con una indulgencia sorprendente, excepto, claro, que el daño sea a su peculio, en razón de que entonces se los priva de ser benévolos y agradables y humanos y esto los violenta muchísimo. Pero estas cosas suceden tan raramente, dado que estos sonrientes seres difícilmente se equivocan en sus inversiones, que no dejan demasiadas máculas ni recuerdos. Y en ese comedor algo de ellos quedó, algo palpable se insinuaba. Hasta era posible especular con que una figura dibujada levemente en el rincón menos visible de la habitación, era consecuencia de un aparador con vitrina que era en verdad la joya de los muebles de la casa y que ellos se placían en colocarlo en un lugar poco destacado con la seguridad de que, de cualquier modo, no pasaría desapercibido y que, por el contrario, se haría notoria su poca afectación, su llaneza.

El hall de la escalera no era más que de paso y apenas si hubiera cabido una banqueta contra una de las paredes. Éstas estaban recubiertas hasta una altura aproximada de dos metros con listones de madera rústica, y en conjunto con la misma escalera —realizada en este caso en una bella madera de roble—, le daban al hall un grato aspecto. Allí la casa no desmentía en absoluto su ubicación en una zona rural y, pese a que carecía de ventanas, al cruzar por él era imposible evitar la certeza de que se estaba en el campo, y éste estaba presente tras las paredes con una realidad más acendrada que observándolo desde las ventanas de la sala. Corría por el hall una brisa fría que, en realidad, atravesaba la casa, pero se hacía aquí tanto más ostensible cuanto que no había ventanas y era —si tal cosa existiera— el pequeño punto neurálgico de la construcción, paso obligado de cuanta corriente de aire se diese a atravesarla. Era notable la contraposición entre la cálida atmósfera que le otorgaba la carpintería y esa ventolina destemplada que se precipitaba hacia las habitaciones del fondo y que subía por el hueco de la escalera, la que hubiera crispado las facciones de cualquiera. Nacía en el hall un corredor que llevaba a la despensa, a la cocina, a dos habitaciones de servicio, y que terminaba en la verde puerta del fondo, tras la que no era dificultoso adivinar que en tiempos hubo un gallinero y tal vez una huerta. En este corredor se estaba en otro mundo, un mundo subalterno en el que las paredes tenían un acabado que no renegaba de las ondulaciones y no estaban más que encaladas, y era aun un encalado que había sufrido los rigores del hollín, de los grasosos vapores de las ollas y las asaderas. Había adquirido ese gris que no puede sino pasar desapercibido en razón de que era producto de tantos años que estaba consustanciado con la corporeidad de lo que se veía y, sin que pensemos en ello, se lo tiene por definitivo y propio de la naturaleza del lugar. Las puertas de la despensa y de la cocina estaban enfrentadas y eran llamativamente pequeñas, como

si se supusiera que habría a la fuerza una cocinera pequeña. El tremendo aparato de cocina, sobre el que descan-
saba un cacharro de aluminio irreconocible y sucio hasta
el espanto, no entraba ni con mucho por la puerta y seguramente habían roto en derredor de ella, o bien lo habían
entrado antes de terminar la pared. Adosada con chin-
ches a una de las paredes, arriba de una mesada rajada
que podía barruntarse que era de un mármol barato, podía verse una página de una vieja revista de modas con la
foto de una linda chica, cuyos pechos se insinuaban en el
escote de un vestido rojizo. La extraña hoja, ya marrón,
estaba tan mugrienta que los ojos de la chica aparecían
velados y profundos y habían adquirido un aire de locura
que contrastaba con la vulgar semisonrisa que tenía con-
gelada en la boca. Lo inusual de esa foto era justamente
que la persona que tuvo por ella la devoción necesaria
como para colocarla allí, prendada de la muchacha por la
razón que fuere, no se hubiera molestado luego en quitarla y a la sazón conviviese ahí, en el olvido, con aquel
cacharro de aluminio. No había más remedio que imaginar que la chica —criada quizá en una de las habitaciones contiguas— era la hija de la pequeña cocinera, la que
había muerto repentinamente, sin que nadie atinara después a arrancar la hoja de la pared, sea por el prurito de
no ofender la memoria de la muerta quitando lo que ella
había amado para tirarlo a la basura, ya que nadie guar-
daría esa hoja engrasada, sea porque la muerte había coin-
cidido en mayor o menor medida con el abandono de la
casa. Probablemente la chica era ahora una mujer entrada en carnes y ella misma guardara una página de revista
para mirarla con una luz en los ojos no muy distinta a la
que había brillado en los de su madre, sin reconocerse
verdaderamente en esa joven.

Las habitaciones en las que esta chica en apariencia

creció, eran viejos sucuchos que, contrastados con el espacio disponible en esos campos inmensos, parecían más miserables. En uno de ellos había un catre cubierto por una cobija podrida, por debajo de la cual asomaba, volcado sobre el piso y mostrando la suela, un zapato abotinado marrón, un zapato grande, de hombre, de trabajador. El otro cuartito estaba totalmente vacío y no llamaba la atención más que un desprendimiento del revoque que tenía la forma de una jirafa. Si se miraba con detenimiento la figura, cercana al metro de alto, no cabía otra cosa que pensar que había sido hecha adrede por alguien que, mal que mal, se había esmerado. Entre esta habitación y la despensa, en la pared del corredor, bien arriba, se podía ver un timbre que no tenía una traza ruinosa o vetusta y se dijera que fue colocado no mucho tiempo antes de que la casa quedara vacía. De él salía un cable —que apenas si había tomado un color amarillento— que escapaba del corredor y subía por la escalera a algo más de dos metros de los peldaños, apretado prolijamente a la pared con grampas blancas.

El hall de arriba era un cuadrado perfecto en el que se podía afirmar, sin caer en exageraciones abruptas, que corría más aire y hacía más frío que a la intemperie. Comunicaba con tres habitaciones y, también, con un baño muy amplio cuya puerta —enfrentada y a la derecha de la escalera— tenía unos vidrios rugosos que dispuestos en rectángulos de a pares, se extendían desde lo alto, cerca del borde superior, hasta poco más o menos la altura de la cadera de una persona adulta. Las paredes del baño estaban recubiertas por azulejos blancos que recordaban a las antiguas porcelanas. Se conservaban los viejos sanitarios ingleses que estarían desde que la casa se construyó, los que habían adquirido esas líneas de óxido que se forman con el correr del agua por años y años y que les otorgan, pese a lo que se pueda creer en contrario, una seguridad en sí mismos que logran transmitir a quien los observa, convenciéndolo de que los siglos venideros les encontrarán en funciones. Incluso la bañadera era de aquellas que mediante cuatro patitas curvilíneas se montaban sobre pequeños pedestales. Por sobre ella el caño de la ducha —ya sin la flor— salía de un calefoncito que probablemente había funcionado a alcohol o querosén.

Saliendo de la escalera, dos de los dormitorios, los menos espaciosos, se ubicaban a la izquierda; uno de ellos con la entrada en la misma pared que la del baño. Eran habitaciones que, aun con los vidrios rotos y con una suciedad polvorienta y helada, mantenían un aire acogedor y sereno, dejando trasuntar que estarían dispuestas a ser habitadas, tal vez a causa de unos cálidos empapelados que no estaban despegados más que en contados lugares y muy ligeramente. No tenían trazas de que se las hubiera ocupado permanentemente y guardaban ese aire virginal y esperanzado de la habitaciones de huéspedes, que no conocen los malos tratos y que tampoco los imaginan. El tercer dormitorio, el principal, estaba a la derecha de la escalera y allí se dirigía el cable del timbre, el que entraba por lo alto del marco de la puerta. Ya adentro bajaba siguiendo el marco y luego doblaba, para prolongarse unos tres metros pegado al zócalo, allí, en un lugar en donde se podían adivinar los rastros de una mesa de luz, subía unos setenta, ochenta centímetros, y abandonado tras la última grampa, terminaba volcado hacia adelante y un poco hacia abajo, como si vomitara, separados unos centímetros los dos polos y apareciendo a luz los despeinados alambrecitos de cobre. A continuación se veían las marcas de una cama matrimonial voluminosa, con un respaldo macizo, sin huecos (seguramente de esos acolchados y forrados en elegantes telas fruncidas con algunos botones), que en el medio se elevaba con una graciosa curva. Arriba de ésta se descubría el rectángulo acostado de un cuadro de mediano tamaño. Más allá estaban, como era de esperarse, los rastros de otra mesa de luz, gemela con la anterior. Por sobre ella, a la altura de los ojos de una persona de buena talla, habían quedado las figuras de unos cuantos cuadritos en fila, cada una con su correspondiente clavo, que no era difícil atribuirlas a fotos de familia. En la misma pared, cerca del ángulo con la pared de la ventana, a algo menos de dos metros, había un agujero redondo del tamaño de una pelota de tenis, un agujero abrupto al que en el medio, punto en donde se hacía más profundo, le faltarían cuatro o cinco centímetros de revoque.

La ventana no era distinta a las de los otros dormitorios o a las de la sala. La carpintería, pintada con esmalte blanco, brillaba aún con el sol a pesar de la suciedad y las laceraciones del tiempo. Por ella se veían los campos hasta muy lejos, incluso una pequeña arboleda que se perfilaba tenuemente donde la vista se perdía. Bajo la ventana el empapelado tenía unas manchas oscuras, de un morado que devenía en negro, las que se continuaban en el piso de madera, donde se hacían más oscuras todavía. No cabía más que pensar que era sangre que se había secado antes de que alguien acertara a limpiarla. La sangre era abundante y había manado de tal modo que en derredor de algunas de las manchas grandes había otras diminutas, como salpicaduras.

La siguiente pared, la que se enfrentaba con la de la cama, no guardaba otras marcas que las de una cómoda y, encima, las de un cuadro que parecía demasiado importante, demasiado grande para aquel sitio y para aquella cómoda. La pared que resta, la que se enfrentaba con la ventana, estaba casi totalmente escondida tras un ropero enorme, un mastodonte marrón que iba desde la pared hasta la puerta y para arriba hasta cerca del techo. Era seguro que por estas medidas desmesuradas no se lo habían llevado y estaba ahí, con sus dos pisos y sus grandes puertas, algo amenazante en su tamaño a pesar de estar ligeramente inclinado hacia atrás. Por una de sus puertas entreabiertas se podía divisar, en un estante, una de esas cabezas que se usan para dar reposo a una peluca. Una cabeza ciega y caída que se apoyaba en un costado de la frente y en la nariz. No se veía que hubieran dejado otra cosa en ese gran ropero.

La habitación, aun cuando la ventana conservaba en alguna medida los vidrios, estaba tan fría como el resto de la casa, y se podía sentir, bien que menguada, esa brisa que atravesaba la construcción y que la hacía harto desapacible, tan desapacible que la estancia allí se hacía insoportable. Un vientecito constante que debía ser el prolongado resabio de lo que fuera una gran tormenta y que apenas si dejaba cosa por erosionar o por ajar. Una brisa inexorable que parecía llevarse la casa por las ventanas.

Doña Leonor

Con algunas dificultades, doña Leonor martillaba un clavo en la pared del pasillo. El martillo no era liviano y cuando lo llevaba hacia atrás el brazo de la mujer —ya casi anciana— vacilaba. De cualquier manera se las arreglaba para no errar un golpe y, pese a su ceño fruncido, el clavo entraba a satisfacción en el duro revoque. Deseaba trasladar allí un cuadrito que había colgado hasta entonces en su dormitorio y que se había cansado de verlo desde la cama. Era un colorido paisaje campestre, al que por su excesivo detallismo doña Leonor tenía en mucho, y que, aun cuando se había fatigado de él, por nada lo hubiera guardado en un ropero, con lo que se habría privado de lucirlo.

Cuando hubo terminado de clavar y antes de colgarlo, se detuvo por un momento a mirar el cuadrito. Se admiraba de la puntillosidad del pintor, quien no había olvidado ningún detalle, por ínfimo y dificultoso que pareciese. Doña Leonor le atribuía a la pintura un valor pecuniario no despreciable, aunque nunca había intentado cerciorarse. Por esto, por miedo a que alguno se tentase y se lo robara, es que lo había tenido en su dormitorio, luciéndolo sin que nadie lo viese. Y si ahora lo sacaba al pasillo no lo hacía sino con aprensión y hasta con algún disgusto. Colocado el cuadro en su nuevo lugar, lo observó parada delante del pequeño sillón de la sala, desde donde se lo veía en un ángulo sesgado y apenas si se adivinaban sus figuras. Pero el efecto igualmente le gustó, tal vez porque la belleza que ella creía ver en el cuadro desde allí se intuyera sin precisarse, sin confirmarse, y esto le pareciera conveniente.

Doña Leonor se dirigió al cuartito del fondo para guardar el martillo en la caja de herramientas. Atravesó el jardín con su paso pesado. Era una mujer grandota, cuyas piernas, vencidas por el peso, se separaban marcadamente de las rodillas para abajo. Vestía un batón floreado, que tanto podría describirse anaranjado como rojizo, ajustado al vientre con un cinturón finito de la misma tela. Calzaba unas ojotas de cuero marrón, ensanchadas por unos pies que se habían escapado de toda horma. Ya en la piecita —en donde guardaba cosas muy diversas, incluidos algunos trastos viejos— dejó el martillo y tomó una manguera. Antes de salir descubrió una arañita en el ángulo de dos paredes y se detuvo. Por unos instantes pareció dudar; luego, destruyendo con un dedo la tela intentó hacer caer la araña al piso; pero el insecto se resistió, trepando con una energía inusitada por un hilito que quedó pegado en el dedo de doña Leonor. La mujer lo sacudía, mas no lograba desprenderse de la baba ni que la araña cayera. Temió que el insecto le llegara al dedo y entonces sacudió casi con rabia; la araña voló sin que la mujer advirtiese a dónde. Se revolvió un poco y, febrilmente, se revisó la cabeza con las manos, fastidiada en extremo por la idea de que la araña estuviese en algún lugar de su cuerpo. La buscó, mirándose —esforzándose incluso para llegar a ver algo de su espalda— y observando en derredor suyo todo lo que le permitió su paciencia, mas no logró descubrirla.

Ya en el jardín, y todavía recelosa de que la araña estuviese encima suyo, doña Leonor conectó la manguera a una canilla de la pared y se puso a regar las plantas. El fondo no era grande. Junto a una pared lateral se extendía una hilera de hortensias y petunias; bordeando la otra pared lateral habían plantado unos malvones y, casi en el rincón, se erigían unas cuatro latas de aceite "Cocinero" de cinco litros con un par de geranios, un lazo de amor y algún helecho. Contra la tapia de atrás se encontraba el único árbol, un arbolito, una higuera pequeña, retorcida, de corteza grisácea. Allí, bajo la higuera, contra el muro, había un rectángulo de tierra de cerca de dos metros de largo por unos setenta centímetros de ancho, en donde doña Leonor no dejaba que creciera el pasto. Ella se encargaba concienzudamente de que no surgiera ni una brizna de hierba, y el prolijo rectángulo, extraño y sin sentido, se extendía desde hacía años junto a la pared. A continuación de él y ya contra el rincón, se hallaba un pedazo de tronco de árbol y sobre él una maceta de arcilla con una plantita de hojas verdes y blancas.

Doña Leonor regaba las plantas aun cuando el día anterior había llovido, verdad que no muy intensamente. Ponía un dedo delante del pico para que el agua se esparciera en forma de lluvia. Pretendía regar a todas las plantas por igual, vale decir, que ninguna recibiera más agua que otra, como si se sintiera obligada a una cierta justicia. Por un momento se detuvo al lado del rectángulo de tierra y observó con atención cada palmo; después se apartó, aparentemente satisfecha con su estado, y continuó regando.

Esperaba ese día la visita de la señora de Benítez, quien era casi la única persona que la visitaba, y esto no era sino cada tanto. Doña Leonor vivía sola desde la muerte de su padre —excepto el tiempo que estuvo Laurita—, y las escasas personas a las que había tratado en el barrio habían muerto ya. La señora de Benítez era una parienta lejana (uno de esos parentescos que por lo remoto resulta tan complicado de dilucidar, y tan inútil el hacerlo, que nunca llega a establecerse con precisión cual es, aunque ese lejano lazo diera inicio a la relación), bien que, en realidad consideraban ambas que las unía una relación de amistad más que la sangre. Vivía la amiga de Leonor —aunque ésta no la hubiera llamado así, a secas, sino que lo habría expresado de manera de atemperar la intimidad que supone aquella palabra— en un barrio contiguo, y, pese a que tenía hijos y nietos, espaciadamente se daba tiempo para ir a verla sin que le importase que doña Leonor, soltera y sin hijos, no le retribuyese las visitas. Doña Leonor no salía de su casa más que para pagar las cuentas, para hacer las compras y para llevar las flores a las tumbas de sus padres en el cementerio.

Cuando terminó de regar doña Leonor guardó la manguera y partió hacia la cocina. Iba a hacer unos pastelitos de dulce de batata para convidar a la señora de Benítez (hacía tiempo que Leonor, en las pocas ocasiones en las que se dirigía a su amiga nombrándola, lo hacía por su nombre de pila: Dora, pero aún pensaba en ella como la "señora de Benítez", ya que en realidad era el señor Benítez su remoto pariente). Atravesó un pequeño lavadero, que era una precaria construcción con techo de zinc, hecha con posteridad a la casa. Apenas entró en la cocina fue a la alacena para ver cuánta harina le quedaba. La alacena era un modesto armarito de madera pintado de verde que colgaba de la pared. De allí bajó una lata negra con unas flores rosadas pintadas en dos lugares opuestos del cilindro. Quizá por contraste con el polvo blanco que llenaba cerca de una tercera parte del tarro, doña Leonor recordó la araña, y se sintió incómoda. Intentaba establecer si la cantidad de harina que había le alcanzaba, sin embargo no lograba concentrarse en ese mínimo cálculo. Dejó el tarro sobre la mesa y se retorció, sacudiéndose, mientras se pasaba las manos por la parte posterior del cuello, barruntando que podía atraparla allí e impedir que se le metiese en la espalda. Tuvo la sensación de que había llegado tarde y que el insecto caminaba por la parte interior del vestido. En parte asqueada, en parte enojada consigo misma, sacudió la tela de la espalda tomándola de la parte superior. Pero no había terminado de hacerlo cuando se dio cuenta de que con eso sólo lograría hacer caer la araña hacia su bombacha y se desesperó. Se apretó de espaldas contra una pared en busca de matar al insecto antes de que llegase a su bombacha. Se fue moviendo de tal modo de no dejar punto de su espalda sin apretar contra la pared, hasta que concluyó que la araña ya no podía estar viva. Un gesto adusto, amargado, persistió de cualquier manera en sus facciones, las que se tornaban aún más toscas y rotundas. Pensaba que debía verificar si tenía la araña aplastada en la espalda, y si así era cambiarse, tal vez también darse una ducha. Pero se quedó en la cocina y se puso a preparar los pastelitos.

Dos horas más tarde, cuando abrió la puerta de entrada para recibir a la visita y vio el rostro de la señora de Benítez, Leonor tuvo la impresión de que algo no estaba bien. Las facciones de la mujer, si bien ligeramente, estaban desencajadas. Igual, intentó que su actitud no revelara lo que había percibido.

—¡Qué tal!, ¡¿cómo está?! —le dijo, y abrió la puerta con mayor amplitud.

—Bien, bien —contestó la señora de Benítez, dudando de entrar; se traslució en su cara por un segundo una crispación nerviosa, como si la idea de entrar le produjera un cierto rechazo, inclusive desconcierto. No obstante, cuando doña Leonor le franqueó generosamente el paso con un esbozo de dubitativa sonrisa, entró, aunque evitando mirarla.

—¿Cómo anda? —repitió Leonor, que, atribulada, empezaba a transpirar. La señora de Benítez miró a su alrededor sin contestar.

—Siéntese, siéntese, que ya le traigo algo —se apresuró a agregar Leonor, señalándole un sillón tapizado con un gobelino muy gastado. Lo había dicho sin saber qué podía traerle en particular en ese momento, sólo porque intuitivamente se vio impelida a irse por unos instantes de la sala para asimilar esa sorpresiva actitud de la mujer, que la descolocaba y que empezaba a imbuirla de pavor.

—No, gracias. No es necesario —protestó de manera no muy firme la señora de Benítez, mientras Leonor desaparecía en el pasillo. Ya en la cocina se quedó parada junto a la mesada de mármol por unos momentos. Se resistía, pero se preparaba para escuchar lo peor. Respiró profundamente dos o tres veces, mas no vino a su cabeza un pensamiento claro. Recordó que tenía que volver con algo y abrió la heladera. Sacó una jarra con jugo de naranja y tomó dos vasos de un armario; lo puso todo en una bandeja y partió de regreso a la sala. Desesperada, vino a su mente la idea de hacerse la enferma, pero la rechazó, y este enfrentamiento entre su deseo casi angustioso de escapar de lo horrible que le aguardaba y su cerrada negativa por miedo a un ridículo aún más penoso, fue en su interior como un choque entre dos olas contrapuestas e igualmente enérgicas; un abrupto calor ganó su cuerpo y ya no estuvo segura de que llegaría al comedor. Cuando entró, la embargó un vértigo doloroso, pero aun así y sin estar convencida de que la jarra llegaría a la mesita, miró a su amiga intentando sonreírle. En realidad, su boca grande y recia se torció en una mueca ambigua, en donde sólo podía advertirse la sombra desvaída, casi amarga, de una sonrisa. Apoyó la bandeja y sirvió la naranjada, esforzándose para que no se trasluciese su estado de ánimo. Le extendió el vaso sin mirarla.

Leonor esperó unos segundos de pie. Aguardaba a que la otra comenzase; empero la señora de Benítez tomaba en silencio a sorbos pequeños. Leonor se sentó.

—Bueno —empezó ella en tono duro—, dígame... —e iba a increparla: ¿qué le sucede conmigo?, no obstante continuó, aflojando la voz, como si del fondo de sí surgiera otra persona que desease ayudarla: —¿Cómo andan sus nietos? —y en seguida, porque recordó que la otra tenía una nietita de pocos meses, aun con tono más simpático—: ¿Y Vickita?

—Bien... Están todos bien. La nena está rechonchita, pero es tan linda... El hermano la cela mucho —la vista de la señora de Benítez poco a poco se perdía—. Marito...

—Todos; todos los hermanos son celosos —la interrumpió Leonor, en parte a causa del incipiente entusiasmo que se apoderó de ella por el rumbo que tomaba el diálogo.

—Sí, claro. Pero no sabe las maldades que le hace; y tan chiquita la otra.

Leonor, quien sentía algo raro en la garganta, tomó medio vaso de naranjada de una vez. La señora de Benítez permaneció callada por unos segundos. Leonor quiso reaccionar cuando se dio cuenta del error cometido al dejar caer la conversación; sin embargo ya era tarde.

—Dígame, ¿por qué echó a Laurita de la casa? Esto me han dicho, que usted la echó; y no solamente eso, que lo hizo amenazándola con una cuchilla. Me lo contó su prima Tola, que el otro día la encontré por casualidad en la calle.

Leonor se indignó por la injusticia que se cometía con ella, bien que también sintió alivio. No supo qué contestar.

—¡Era la hija de su hermano muerto! ¿Es verdad? ¡No lo puedo creer! Su prima Tola me dijo que ahora está muy bien y que ya va a la Universidad... Pero, ¿la echó con un cuchillo?...Y una chica buena...

La señora de Benítez la miraba esperando que se defendiese, que lo negase; no por Leonor sino por ella misma, por lo desagradable que le resultaba estar ahí con Leonor si era cierto lo que le habían dicho, por el error que había cometido al juzgarla, tal vez también porque la seguridad en que las personas a las que les guardaba cariño o aprecio eran lo que parecían, se esfumaba, y en el fondo de sí se inquiriese por los secretos de su marido, de sus hijos.

—Un ataque de bronca. No sé... —comenzó Leonor, aunque no tenía deseos de inventar nada. Quería que la señora de Benítez se fuera, aun cuando no volviese más, y quizá deseaba que no volviese más. Si las cosas quedaban así, limitadas a su amenaza, cuchilla en mano, contra su sobrina, no creía que estuviesen tan mal para ella.

—No convenía que se quedara a vivir acá, conmigo —agregó—. No se quería ir. ¿¡Qué iba a hacer!? —Leonor subió la voz, sin llegar a mostrar un gran enojo. Le molestaba dar explicaciones, sobre todo porque no podía ni remotamente, decir toda la verdad, y de manera inevitable terminaría mal parada.

—¡Pero era su sobrina! ¡Y usted tenía lugar en la casa! Y era el barrio de ella. Iba al colegio con las compañeras de siempre. ¡Se tuvo que ir a Rosario! ¡Según Tola usted llegó a tirarle unas cuchilladas! ¡Que si la agarra!

Un odio violento se apoderó de Leonor. Se levantó y avanzó unos pasos sobre su amiga, encorvado su cuerpo corpulento, crispadas las facciones. La fiereza de esa cara, en donde la base de la nariz se había ensanchado horriblemente y los ojos se descerebraban, asustó sobremanera a la señora de Benítez (después diría que sintió como si una bestia se abalanzara sobre ella), quien se levantó del sillón y reculó hacia atrás de él buscando protección, aún con el vaso en la mano.

—¡Leonor! —casi chilló con voz angustiada—. ¡Cálmese! ¡No me...!, —respiró con dificultad, midiendo las intenciones que abrigaba Leonor—. ¡No se ofenda así!

Leonor no se decidía a nada. Continuó parada, mirándola. El miedo de la otra la aplacaba; muy en el fondo de sí, satisfacía su ira.

—¡Leonor! ¡¿Cómo puede...?!, ¡ponerse así! —siguió la señora de Benítez, que hablaba, nerviosa, poniendo las palabras como defensa. Había dejado el vaso y, en un acto al que visiblemente consideró de arrojo, se dirigió al abrigo.

—¡Cálmese, Leonor! —dijo, antes de agarrarlo, y la miró, tal vez para averiguar si la otra mujer consideraba una provocación el hecho de que intentara irse.

—Escúcheme —prorrumpió Leonor, quien, pasado el ataque de furia, pretendía enarbolar una explicación.

—Otro día me cuenta sus razones —dijo con firmeza la señora de Benítez, mientras levantaba una mano y hacía un ademán de detención. Había advertido de inmediato que Leonor se apichonaba, justamente a causa de su reacción, y que la situación cambiaba de manos.

Ya en la puerta la señora de Benítez no quiso dar la sensación de que huía y se volvió con afectada serenidad.

—Leonor, otro día nos vemos, y usted, más tranquila, me explica bien lo que sucedió. —Abrió la puerta; salió, y antes de cerrarla tras de sí se inclinó un poco hacia el espacio que dejaba abierto y le dijo un "hasta luego" muy cauto, aparentemente nada rencoroso; tal vez —esto fue lo que percibió Leonor— porque más fuerte que la aversión que sentía contra su antigua amiga era su alivio por marcharse.

Leonor se quedó sola en medio de la sala, mirando la raya de luz más intensa que se filtraba por debajo de la puerta. Confusamente pensaba en cuán mala era su situación con la señora de Benítez, y de modo más impreciso, como sustrato amargo y amenazante que la sorpresiva circunstancia vivida le dejaba, cuán precaria era su situación en el mundo. Se sentía en peligro, amenazada, ¿qué iría a hacer esa mujer por ahí?, ¿qué andaría contando?, ¿qué intentaría averiguar?, e inclusive, si se enterara de un detalle —Leonor no sabía precisar cual—, ¿no lo relacionaría con otras cosas, con su carácter violento, con la imagen de ella lanzando cuchilladas a una mocosa? Estaría en ascuas ¿cuánto tiempo? ¿No lo había estado ya, por años, a causa de Tola y los primos de Rosario? Habría de estar supeditada a una mujer que la odiaba, y de cuyos movimientos no tendría noticias hasta que fuera ya tarde y golpearan a su puerta. Varias veces se repitió, rebelada contra sí misma: ¡no tendría que haberla dejado ir! Llegó a imaginarse lanzándose contra la puerta antes de que la otra abriese, y esa fiereza desatada que sintió realizarse en su cuerpo, a pesar de que permanecía inmóvil, le gustaba. El terror de la señora de Benítez —que cuando lo percibió realmente la aplacó—, ahora, en su fantasía, la excitaba más. Si ella se arrojaba contra la puerta, la otra —que se contuvo, y disimuló su pánico por temor a que fuera ridículo— se hubiera descompuesto de miedo, sin ataduras, sin reparos; ahí, bien visible —entrevió el rostro de la mujer—un llanto terriblemente angustioso y callado. Pero la imagen se disipó en seguida y casi sin transición, al levantar la cabeza y

143

advertir el cuarto vacío, debió volver a su propio miedo, que, menguado por la fantasía que había tenido, devenía en oscura aprensión. ¿Y si la llamaba, haciéndose la inocente e inventando cualquier cosa sobre su sobrina? La idea no la convenció, pero supuso que el llamarla era una forma de saber a qué atenerse, un modo, aunque incierto, de controlarla.

Fue a la cocina, pero allí no se detuvo sino unos segundos, y volvió al comedor a buscar la jarra y los vasos. Notó que el vaso usado por la señora de Benítez tenía la marca del rouge de los labios, y pensó, tal si fuese un descubrimiento, que ella se pintaba para ir a visitarla; casi llegó a pensar que esto era algo extraño. Se puso a lavar los vasos. Cuando terminaba recordó la araña, y la sensación de intromisión y de suciedad le fue doblemente desagradable porque consideró que debía bañarse, y precisamente en ese momento no quería desvestirse por nada del mundo. No obstante, arrebatada en gran medida por un lóbrego impulso de contradecir su deseo más profundo, se dirigió al baño. Se sacó el batón floreado sintiendo que cometía una imprudencia. Se desembarazó del corpiño rellenado y de la bombacha y se sentó en el inodoro. La gordura de su vientre no impedía que doña Leonor viera su pene colgando junto a la tabla, incluso —ella no quería verse, pero miraba— advertía las cicatrices que lo surcaban, producto de las mutilaciones que había intentado en el pasado. Se levantó para meterse en la bañera, olvidada de la araña. Percibió el movimiento de su pene —que era grande— acompañando los suyos, y se enfureció. Inclinándose con energía y mirándolo, como enfrentándose a un enemigo, tomó el pene con una mano y lo apretó con todas sus fuerzas. La carne asomaba entre sus dedos gordos y fuertes. Ella apretaba como para que reventase. Y apretó, apretó, hasta que se cansó. Soltó la pija y ésta volvió a tomar su forma, pero la vio tan amoratada que se asustó. Por su mente cruzó la idea de que tendría que ir al hospital, y la inmensa humillación que significaba mostrarle esa pija a un médico la horrorizaba. Pero rápidamente dijo que no iría, que en seguida se pondría bien, que su pija sobreviviría sin mayores consecuencias, como había sobrevivido a todos sus ataques. La volvió a observar, y se la quedó mirando por un rato, casi fascinada por ese cuerpo persistente, odioso, y más odioso ahora, cuando no le quedaba más remedio que desear que sanase. Mal que mal, el pene volvía a su estado corriente. Y doña Leonor, sin más, apesadumbrada, entró a la bañadera, bajo la ducha.

Al día siguiente, a la primera hora de la mañana, doña Leonor salió al jardín. Fue al cuartito, sacó la manguera y la conectó a la canilla; sin embargo no abrió el grifo. Dejó la manguera tirada en el pasto y se agachó pesadamente junto al rectángulo de tierra, ayudándose con el tronco de la higuera. ¿Qué hacer? Doña Leonor hundía los labios en la boca, la duda le recorría el rostro. Muchas veces, estando al lado del rectángulo, había tenido ganas de sumergir profundamente una mano en la tierra, como si ésta tuviese la consistencia de una masa, y tomar lo que su imaginación le hacía creer que allí estaba todavía; en ocasiones, cuando su fantasía era más febril, había deseado hundir las dos manos. Ahora, lejos de esos deseos, ¿qué podía hacer? No se decidía a nada, y en el fondo consideraba que no tenía nada que decidir. Se quedó un rato allí con la mirada algo ausente, muy quieta. Miró luego la tierra por unos segundos, y empezó a quitar las ínfimas briznas de hierba que veía; lo hacía despaciosamente, deslizando con suavidad los dedos por los terrones, tomando apenas, con distraída delicadeza, los pequeñísimos brotes que asomaban.

El perdón

Héctor, quien recibió este nombre por el héroe troyano, habría de pedir perdón. Él se decía: "tienen que perdonarme, es imposible que no me perdonen". Sin embargo por otro lado pensaba que no tenía muchas probabilidades de ser perdonado y que una cosa era tan justa como la otra. No carecía de justificaciones, y éstas las había enumerado para sí con énfasis suplicante, pero bien podían no servir, o incluso ser contraproducentes. Vagamente consideraba que si sus razones no eran aceptadas, tanto podía plegarse a los que lo habrían de escarnecer como, verdad que calladamente, mantener su convencimiento en lo que había urdido para pedir el perdón.

Él hubiera querido no encontrarse en esa situación, empero no había hecho nada para evitarla. Y no había hecho nada por desidia, quizás porque se le hacía dificultoso renunciar a la calidez de un momento presente en prevención de futuros males. Tarde se daba cuenta de lo penoso que le resultaba soportar la vergüenza, la evidencia de sus errores, la inconcebible pasividad en la que se mantuvo y que se reprochaba sin abjurar de las razones que lo habían llevado a ella. Había confiado, casi sin esperanzas, en una suerte milagrosa, pero como era dable esperar —aunque sólo ahora veía de manera tan clara y patente la imposibilidad de que sucediera— el milagro no se había producido y se hallaba sin remedio frente a una situación harto comprometida. Por un tiempo había intentado convencerse, con un voluntarismo que luego juzgaría idiota, de la escasa gravedad de sus acciones, mas finalmente no pudo sino rendirse ante lo evidente. Y, en parte por esto, era que ahora, cuando se alentaba diciéndose: "es imposible que no me perdonen", descreía de sus propias palabras y, nebulosamente, sospechaba que se inducía a un engaño similar al anterior. En esos momentos, consideraba que sería escarnecido, a pesar de sus súplicas y en alguna medida tal vez a causa de éstas; pero de cualquier forma no dejaría de pedir perdón una y otra vez, aunque no se lo concedieran y aunque en lo inmediato se enfureciesen contra él, quizá con la ilusión de que con el tiempo sus ruegos se abriesen camino y su contrición generara algún beneplácito.

Las caras de aquellos a quienes habría de pedir perdón eran su mayor preocupación, en razón de que casi agotaba en sus fantasías las palabras insultantes que habrían de dirigirle y, sufriéndolas por adelantado, pensaba que disminuiría el doloroso efecto que le causarían cuando le fueran espetadas, en cambio se le dificultaba enormemente imaginar las expresiones de sus rostros, en gran medida porque casi no los recordaba, pese a lo mucho que los había visto en los últimos tiempos. Preveía también dos ademanes de las manos: unos dedos que tamborileaban impacientes sobre la mesa cuando él empezaba su relato y ellos se daban ya a barruntar lo sucedido, y un puño golpeando con violencia la mesada en el instante en que, macizamente, se confirmaran las peores sospechas que habían abrigado. Ese golpe podría ser la señal, si la angustia lo desbordaba, para darse a las súplicas más encarecidas. Las más de las veces, sin embargo, se veía en aquella habitación, con el cuerpo agarrotado por la tensión, acongojado al extremo pero sin abandonarse por completo al agobio, rogando nerviosamente, como si tuviera esperanzas, inclusive como si se considerara con algún derecho a ser perdonado, y esta visión lo convencía de que jamás lo perdonarían; nada más desagradable que un hombre suplicante que no llega a rendirse absolutamente a su suerte y todavía confía en sus palabras, en su acción, en lugar de entregarse sin reservas, blandamente, al juicio de sus jefes. Pensaba que si, por el contrario, se daba al llanto, a un llanto profundo, varonil, ronco y gutural como si procediera de un abismo, tendría mejores probabilidades de que se apiadaran de él, de que vieran su situación a la luz de una cierta comprensión, pero no creía que eso le fuera posible, ya que estaba seguro de que para llegar a ser tan expansivo ante los demás, necesitaba de una golpe emocional violento, inmediato, inesperado, y en este caso él esparcía su emoción y su amargura en los largos días que mediaban entre aquél en el cual supo que ineludiblemente caería en desgracia, y el que se acercaba a él y al cual su vida se dirigía —al que aguardaba con horror y ya casi con deseo—: el de su efectiva humillación.

¿Y si no iba?, ¿si escabullía el bulto? —llegó a plantearse en una ocasión, y al hacerlo un vértigo en el que se mezclaban un miedo atroz y una vivísima ilusión lo embargó. Empero en seguida el primero pudo más, afianzado en una pregunta inexpugnable: ¿de qué sobreviviría en el futuro? Pudiera ser que aun presentándose se deshicieran de él, pero si no iba esto habría de suceder sin ninguna duda. ¿Cómo soportar los días subsiguientes a su ausencia, reprochándose infinitamente su cobardía, repitiéndose una y otra vez tanto los insultos que hubiera recibido de haber ido —y esto en parte por la costumbre que había adquirido en el último tiempo de pensarlos, en parte por despreciarse—, como los que con seguridad habían ardido en las bocas de sus mandantes a causa de su deserción, temblando cada vez que sonaba el teléfono o el timbre, enterrándose en la desesperación por la vida miserable que le esperaba? ¿Y los meses subsiguientes? ¿Cuándo habría de terminar su tortura si no iba? Más valía una hora tétrica en donde se condensaran todos los males posibles a que estos se extendiesen indefinidamente. Aunque se sorprendió de estar tan convencido, se dijo que tenía que ir, como fuere, así estuviera a punto de derrumbarse en el tormento más abyecto.

En otros momentos, no obstante, casi estaba seguro de que habría de ser perdonado. Creía entonces que no dejarían de tener en cuenta sus servicios prestados, los antecedentes que lo avalaban. Se enfurecerían, sí, pero sólo en los primeros minutos, luego el favorable concepto que habían guardado de él durante más de un año iría abriéndose camino, recordarían las bondades que de él habían recibido, y se sosegarían los ánimos. Cuando esto sucediese —imaginaba—, suspirarían, algo resignados a contener su belicosidad en virtud de no cometer una injusticia, y, mirándolo con disgusto, le dirigirían un discurso lleno de reproches, incluso de insultos —quizá con algún pico más encendido—, pero en el que se haría visible, en los intersticios de las palabras, en lo que no dirían, en la forma de hablar, que se le disculpaba. Y él escucharía escindido en dos sentimientos contrapuestos; por un lado contrito en extremo por lo que se le decía, por otro lado aliviado y contento por lo que se traslucía, bien que consideraba que de ninguna manera debía transparentar este último sentimiento, ya que de hacerlo avivaría grandemente el odio de los otros, quienes, encrespados por la idea de que se los tomaba en poco, muy probablemente abandonarían la intención de perdonarle que subyacía en el impreciso fondo de sus mentes. El perdón —calculaba— nunca se lo darían de modo explícito, sino que sobre el final harían una alusión al futuro en la que se lo incluiría; por ejemplo, una tarea tal vez aún algo indefinida en la que él debería tomar parte, palabras dichas en el curso del habla sin ningún énfasis y, aparentemente, sin ninguna intención especial; hasta era muy posible que formaran parte de un párrafo cuya razón de ser fuera el maltratarlo. Llegó a pensarlas tan disimuladas que caería en la cuenta de ellas sólo al rato, cuando volviesen a su conciencia luego de que le pasaran inadvertidas y hayan caído instantáneamente en el olvido, no en ese olvido profundo y del cual lo que fuere que se hunde en él se torna casi irrecuperable, sino en gran parte todavía en aquél que le cabe a todo lo que no está en la infinitesimal actualidad del pensamiento. Posteriormente, en la primera reunión que siguiera a ésta que lo desvelaba y en la que sería disculpado, él a su vez agradecería el perdón concedido de la misma velada manera. Claro que en su caso sus palabras no serían un paréntesis, una aposición en una frase cuyo objetivo más general fuese otro, en razón de que esto podía ser tomado como una petulancia, sino que el parrafito que pensaba decir debía hacer todo él explícita referencia a su pobre situación, a su escasa valía, transparentándose entonces de forma implícita su gratitud por la generosidad que habían mostrado con él. Yendo un poco más allá, creía intuir que sus palabras serían recibidas con una indiferencia en la que apenas se vislumbrase un gesto de beneplácito; aunque en una oportunidad por unos segundos lo asaltó la idea de que pudieran generar cierta preocupación, en tanto se preguntaran ellos por qué contaban con los servicios de una persona verdaderamente tan torpe; sin embargo, como consideraba que sea como fuere tenía que agradecer la gracia recibida, rápidamente desechó esta suposición.

Se le ocurrió también que cabía la posibilidad de que ni fuese perdonado ni se le negase el perdón. En verdad no supo en primera instancia cómo, en términos concretos, podía suceder esto. Aunque no respondiera exactamente a su idea, pensó luego que podían imponerle un castigo, una tarea harto penosa, para ganarse el perdón; y luego otro y otro, y así sin que nunca lo perdonasen, sin que le negasen absolutamente el perdón. Si así fuera él jamás podría suplicar una definición en algún sentido, ya que era impensable que en estas circunstancias el asunto se resolviese en su favor, dado que no habría cumplido los castigos que le tenían asignados, y como siempre existiría en él la esperanza de que el próximo castigo fuese el último, cada vez que se viese tentado a rogar que se tomara una determinación, se llamaría al orden, se exigiría paciencia, y por nada del mundo se atrevería a arruinar, adrede, fehacientemente, su futuro. Dio en creer, además, que un castigo, bien que deseara que fuese leve, era lo más justo, no tanto por un estricto sentido de justicia sino más bien porque era un punto intermedio entre su ilusión de ser perdonado sin más y el temor —al que en fondo de sí consideraba siempre más realista— de ser echado inmediatamente. Castigo que, por mucho que no fuese la eterna condenación de Sísifo, sería a la vez una prueba de la cual dependería la disculpa de sus faltas, pero una prueba que no podría tomarse enteramente como tal, debido a que —así como imaginaba el perdón— nunca lo sería de manera explícita, lo sería nada más que en el terreno de los supuestos; terreno que surgía al arbitrio de ellos, al que además delimitaban y controlaban constantemente, y que devastaban cuando les era necesario, sin que por asomo se pudiera protestar por lo que se consideraba "seguro".

Conforme se acercaba el día no sólo aumentaba su miedo, también lo hacía el deseo de huir, de no presentarse, pero como no podía no ir los sentimientos encontrados eran cada vez más turbulentos y feroces. Intentaba interponer entre el momento que vivía y aquel día alguna felicidad que le aliviara y le hiciera olvidarlo; por ejemplo, se decía: hoy dan 'tal película' en televisión, una de la que estaba seguro de obtener ciertos placeres, y para reforzar la sensación de beneplácito se compraba chocolates. Y si bien al principio tales recursos daban efecto, y llegaba a hacerse alguna ilusión antes del filme y —más pequeña que la anterior— a experimentar alguna satisfacción mientras lo veía, luego, cada vez en mayor medida, el amargor de su zozobra emponzoñaba las alegrías que pudiera forjarse; poco a poco desaparecía toda ilusión, y en el caso de una película no podía evitar que, en las tandas publicitarias primero, después en cualquier momento, surgiera en él una profunda angustia que se adueñaba de toda su atención y que no desaparecía sino muy lentamente, dejando siempre resabios; el filme, del que en otras circunstancias hubiera gustado, se le hacía incomprensible, aburrido, y los chocolates se los devoraba sin darse cuenta de que lo hacía; cuando terminaba miraba los papeles vacíos y arrugados sin recordar ningún placer.

Dos días antes de la reunión abandonó toda pretensión de sentir gusto por algo. Se refugió en las cavilaciones crecientemente pesimistas, casi catastróficas, que lo asolaban. La desolación fue tan profunda que dio en pensar en el suicidio. Al cruzar las calles o las vías del tren, al pasar cerca de una altura, lo asaltaba la idea, acompañada de un sordo deseo que nunca llegaba a desbocarse y que sofocaba con cierta facilidad, en alguna medida porque tendía a abstraerse en las circunstancias que rodearían y que seguirían a su suicidio. Si, por ejemplo, varios pisos abajo había unos techos de lata, pensaba que el tremendo ruido que produciría su cuerpo al estrellarse llegaría hasta su esposa como un inequívoco mensaje de lo acaecido; o, por ejemplo, parado frente a las vías esperando a que pasara el tren, imaginaba el grito que daría la mujer de falda escocesa que aguardaba enfrente, o los comentarios acerca de su muerte, tranquilos y sólo un poco perplejos —en realidad una perplejidad que creerían obligada— de los que habían sido sus amigos en el pasado, de los cuales se había apartado odiándolos, aunque probablemente ellos atribuyeran la causa de su alejamiento a una progresiva indiferencia hacia la amistad que se habían profesado. Lo cierto es que por mucho que especuló en torno del asunto, concluyó en que nadie habría de sentir un gran remordimiento por su suicidio, nadie se sentiría particularmente culpable de nada, y esto disminuía el atractivo que pudiera tener para él la idea de matarse.

El día indicado Héctor se despertó con una opresiva sensación en el vientre. Antes de tomar un té ya había fumado su primer cigarrillo. Vomitó el té a poco de beberlo y ya no dejó de vomitar y de fumar en toda la mañana. Vomitaba con terribles arcadas el agua que tomaba para suavizar la garganta, la que ya a media mañana no soportaba un cigarrillo entero, por lo que los apagaba por la mitad, para prender otro antes de que transcurriesen diez minutos. Las paredes de las habitaciones le resultaban agobiantes; por esta razón se estuvo largas horas parado frente a una ventana, y sólo se movía de allí para dirigirse presurosamente al baño con la arcada en lo alto de la garganta, o con parte del acuoso vómito en las manos, escurriéndosele entre los dedos. El día había amanecido con un sol claro y firme, el que se desparramaba sobre las terrazas y los tejados, brillando en algunos irizadamente. Hacia el mediodía poco a poco se fue nublando, y el contraste en el paisaje entre la luminosidad del sol que casi lo cegaba y la sombría perspectiva que en su percepción le seguía cuando los rayos del sol se ocultaban, lo notaba tan marcado que le disgustaba. Expulsando el humo de su garganta deshecha miraba el cielo y descubría a veces que no era más que una nube pequeña y aislada, cuya misteriosa existencia lo irritaba como si se tratase de una ofensa personal que recibía. Su rostro se ensombrecía tanto como los tejados, pero con un gesto agrio, agitado. Lo asaltaba el más firme convencimiento de que sería maldecido y echado, y ya no creía que tendría presencia de ánimo siquiera para pedir perdón. Cuando el sol volvía a brillar casi no lo advertía, o mejor dicho, no le concedía ninguna importancia, aunque tanto lo enojase que se nublara. Seguía hundido en la desesperación, incapacitado para remediarla, masticando el resabio de sus vómitos, que —creía por el aliento que llegaba a percibir— se maceraba en su boca.

Sin comer, dado que consideró que expulsaría todo lo que llegara a su estómago, a las dos de la tarde marchó rumbo a la reunión. Se proponía tomar un solo colectivo y caminar las ocho cuadras que le restarían para llegar a destino. Ponía en esta caminata una debilísima esperanza: la de sentirse, al menos en las primeras cuadras, un tranquilo caminante de la ciudad, olvidando en cierta medida, aunque le pesase en el alma, lo que le aguardaba. Fue en el colectivo, sin embargo, en donde su angustia refluyó —cercada por los otros pasajeros, devenidos en testigos suyos— en un sordo pesar. Cabizbajo, sentado en un asiento de dos junto a la ventanilla, arrinconado por un gordo inmenso cuyo cuerpo parecía reclamarle la pequeña porción de asiento que él ocupaba, miraba a través del vidrio casi sin ver. Intentaba concentrarse en la formación de Vélez Sarsfield para el domingo, para especular luego sobre sus posibilidades de triunfo, y con este fin traía a su mente algunos apellidos, pero que, aunque otrora estuvieron llenos de contenido, ahora le resultaban abstractos, meros nombres vacíos que a duras penas le sonaban familiares. Repasar la formación le llevó todo el viaje, ya que cada nombre lo repetía infinidad de veces en pos de que representara algo para él; además en los intervalos emergía su desgracia de mil maneras diferentes, en muchas ocasiones veladamente, en otras de modo algo más descarnado, por lo que se obligaba a pensar a como fuere en su equipo para evitar que se trasluciera públicamente que era un ser infeliz.

Cuando bajó del colectivo, lejos de amenguarse, su miedo se avivó. La inevitable cercanía del daño arrasó con la posibilidad de una serena caminata. Sus piernas andaban casi a su pesar; deseaba que el camino se le hiciera infinito. Tenía tiempo y caminaba lentamente, no obstante, él percibía que descontaba la distancia de manera vertiginosa; quería retrasarse, mas no se animaba a detenerse en la vidrieras, ni siquiera a echarles un vistazo. Una cuadra antes de llegar tuvo una fuerte arcada, a la que dominó cerrando la boca mientras seguía caminando y disimulaba su situación; la baba biliosa le subió hasta la nariz y le impidió la respiración por un rato, hasta que descendió y entonces abrió la boca para aspirar.

A unos metros de la puerta del edificio se detuvo; la posibilidad de no subir e irse surgió en su ánimo con la fuerza que le daba un argumento que le era caro: estaba en el derecho, poco menos que en el deber, de ser piadoso con él mismo. Empero siguió caminando y entró en el vestíbulo del edificio. A punto estuvo de subir por las escaleras los seis pisos, sólo para demorarse, pero pensó que llegaría agitado y debería explicarse, o que tendría que aguardar en el pasillo a que desapareciese su agitación, con los riesgos consiguientes, por lo que subió al ascensor. En lo que le pareció un instante brevísimo estaba en el sexto piso. Ya no pensaba en nada, sino que experimentaba temor; solamente cada tanto se decía: "debo pedir perdón", a esta altura la única misión que se imponía para regresar a su casa con la conciencia tranquila. Dio dos golpes con los nudillos en la puerta de madera; luego, consternado, descubrió un timbre, bien visible a un costado. Una mujer abrió la puerta y después de un vago saludo le franqueó el paso. Él apenas si musitó algo y traspasó el umbral.

Índice

Esta primera edición de mil ejemplares de
El perdón
de Gustavo Alejandro Ferreyra
se terminó de imprimir en los
talleres de Edigraf S. A.,
Delgado 834, Buenos Aires,
República Argentina,
en el mes de noviembre
de mil novecientos
noventa y siete